À Léon

Je te souhaite
excellente lecture.

**Vlad et moi
et les
nids-de-poule**

ET ATTENTION
aux nids-de-poule...

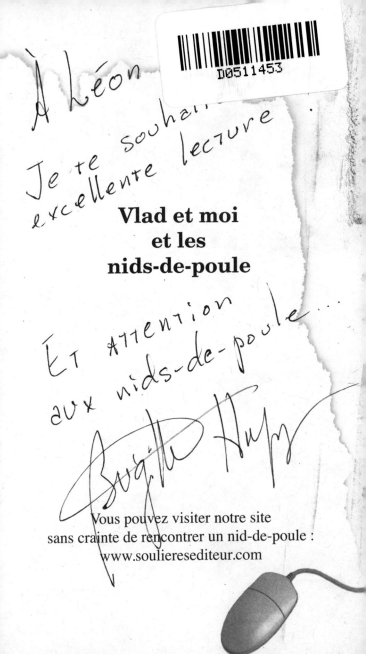

Vous pouvez visiter notre site
sans crainte de rencontrer un nid-de-poule :
www.soulieresediteur.com

Vlad et moi
et les
nids-de-poule

Un roman de
Brigitte Huppen

illustré par
Jean Morin

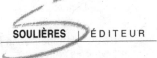

SOULIÈRES ÉDITEUR

case postale 36563 — 598, rue Victoria
Saint-Lambert (Québec) J4P 3S8

Soulières éditeur remercie le Conseil des Arts du Canada et la SODEC de l'aide accordée à son programme de publication et reconnaît l'aide financière du gouvernement du Canada par l'entremise du Programme d'Aide au Développement de l'Industrie de l'Édition (PADIÉ) pour ses activités d'édition. Soulières éditeur bénéficie également du Programme de crédit d'impôt pour l'édition de livres – Gestion Sodec – du gouvernement du Québec.

Dépôt légal: 2010
Bibliothèque nationale du Canada
Bibliothèque nationale du Québec

Données de catalogage avant publication (Canada)

Huppen, Brigitte

Vlad et moi et les nids-de-poule

(Collection Chat de gouttière ; 38)

Pour enfants de 9 ans et plus.

ISBN 978-2-89607-119-7

I. Morin, Jean, 1959-   . II. Titre. III. Collection:
Chat de gouttière ; 38.
PS8615.U66V52 2010   jC843'.6   C2010-940967-1
PS9615.U66V52 2010

Illustration de la couverture
et illustrations intérieures :
Jean Morin

Conception graphique de la couverture :
Annie Pencrec'h

À Juliette

Remerciements

Je tiens à remercier tout particulièrement pour leur soutien : Jeanette B., Sylvie L., Marie-Josée, Ron, Diane Parisien, France, Willy, Vladimir, Sylvie et Denis, Anne-Louise, Alain, Patrick et Véronique, Françoise, Nadia Lacasse et ses élèves.

B.H.

1

Vieux
Léger
Adorable
Débrouillard

27 décembre

Cher cahier-cadeau de Noël,

Vlad nous a encore sauvé la vie ce matin !

Vlad, c'est mon grand-père. Il s'appelle Bert Saint-Amour, mais depuis que j'ai fait un projet sur Dracula, l'an passé, je le surnomme Vlad. Je ne peux pas m'en empêcher. Ses grands yeux ronds comme des roues de *skate* me font trop penser à ceux de Vlad l'empaleur (le vrai nom de Dracula). Mais ne t'inquiète pas ; il est plus gentil qu'un vampire, VRAIMENT plus gentil !

Si Vlad n'avait pas été avec moi ce matin, je serais arrivé nez à nez avec monsieur Sansregrets. MORTEL !!! Ce monsieur-là, il est travailleur social. Et son travail, ou plutôt, son obsession dans la vie, c'est de vérifier si Vlad est encore capable de s'occuper de moi. Mon grand-père est pas mal vieux, et mes parents ne sont pas là, c'est pour ça. Sansregrets, lui, il est jeune. Il a des yeux bleus et un visage de bébé sage. Mais je me méfie de lui. Il est louche en titi. Par exemple : il utilise toujours des mots super compliqués, puis on dirait qu'il se retient tout le temps de ne pas crier. Je parie que le ton de sa voix ferait même peur à Vlad l'empaleur.

Il est venu nous visiter cet automne. Dans notre appartement insa... insa-lub... insalubre, comme il dit. Il a fait passer toutes sortes d'épreuves à Vlad. En premier, il lui a demandé de marcher en ligne droite. Puis en carré. Même en triangle, il me semble. Après, un chro-nomètre à la main, il a exigé qu'il des-cende et monte les escaliers, cinq fois. Tout ça pour s'assurer que Vlad pouvait se déplacer sans aide ! Et c'est pas fini ! Il lui a posé cent questions qu'il lui a reposées deux secondes plus tard. Juste pour tester sa mémoire. Débile !

En revenant de la fruiterie, ce matin, Vlad et moi, on se faisait des passes avec un morceau de glace. Comme des joueurs de hockey. Arrivés au coin de notre rue, on a aperçu un nouveau trou dans l'as-phalte. Vlad appelle ça un « nid-de-poule ». Il était géant. Parfait pour jouer à notre jeu préféré ; le premier qui réus-sit à envoyer la motte de glace exacte-ment au centre du trou, gagne.

Mon premier essai était digne de la Ligue Nationale. Sans farce. La rondelle glissait juste à la bonne vitesse. SWOU-

10

SHHH. Je me préparais à exécuter ma danse de la victoire quand Vlad m'a donné un coup de coude tellement fort : PATLOW ! J'ai fait un vol plané et j'ai atterri tout droit dans un banc de neige. Les bras et les jambes en étoile, j'avais l'air d'une pieuvre sur une montagne de crème glacée.

— Statue ! m'a crié Vlad en se cachant derrière un poteau d'électricité (une chance qu'il est mince).

Il m'a fait signe de me taire et de jeter un coup d'œil en direction de notre porte d'entrée. Monsieur Sansregrets sonnait chez nous, une enveloppe rouge au bout de la mitaine. Elle devait sûrement contenir les résultats des tests imbéciles de cet automne. Vlad et moi, on s'est regardés. Et rien qu'avec ses yeux, mon grand-père m'a dit de rester caché.

On grelottait comme des *popsicles*. On attendait que monsieur Machinchouette, ou plutôt… monsieur SANSmachinchouette, se décide à partir. Les passants nous parlaient avec leurs yeux eux aussi. Ils hochaient la tête, l'air de dire « ils sont complètement craqués du coco ces deux-là». Quand, tout à coup, monsieur Sans-pitié s'est avancé vers nous. « Il nous a vus ??? » je me suis demandé, paniqué.

Mon corps fondait comme une barbotine au soleil. Je suais de longues gouttes d'eau chaude. Il n'arrêtait pas de fixer les yeux dans notre direction. Puis il a levé son bras et a pointé sa main. J'ai pensé « c'est fini mon gars » en remettant mon visage dans le banc de neige. Au bout d'un moment, j'ai entendu un POUIT POUIT de déverrouillage automatique de voiture. Suivi d'un VROUM de moteur. Fiou !!! monsieur Sansrapport était parti. Il avait probablement des examens idiots à faire passer à quelqu'un d'autre.

Je ne veux pas connaître les résultats des tests. Ni Vlad d'ailleurs. Parce que s'il a échoué, monsieur Sansbonsens va le déclarer ina… ina-pte, inapte à s'occuper d'un enfant. Ça veut dire de moi, Lucas Saint-Amour-Saint-Amand, 10 ans. Il va nous séparer. Il va placer mon grand-père en centre d'accueil et moi en famille d'accueil. L'ENFER !!!

28 décembre

Adieu journal,

J'ai réfléchi. J'ai décidé d'arrêter de t'écrire. C'est trop risqué. Si monsieur

Sanshistoire te trouve, on est cuits, Vlad et moi. Il lira quelques-unes de tes pages et BINGO ! Il connaîtra tous nos trucs pour lui échapper.

Ah ! puis… c'est trop difficile.

Rebonjour cher journal,

J'ai des tas de choses à t'écrire. S'il le faut, je ferai comme les grands espions. Si monsieur Sansdessin te trouve, j'avalerai la clé qui sert à te verrouiller. Bloup. Elle disparaîtra dans mon estomac. Je ne connais pas très bien monsieur Sanstrucbinouche, mais moi, en tout cas, je n'aurais pas envie de fouiller dans de la crotte d'humain pour trouver une clé de journal intime.

En attendant que monsieur Sanstusaisqui revienne avec son enveloppe, Vlad et moi, on a mis en place un super plan. Cher cahier, voici nos cinq trucs pour ne pas se faire attraper :

1. On a installé mon miroir de bicyclette sur le balcon d'en avant. On lui a donné un angle. Comme ça, on peut voir qui sonne à la porte. Sans l'ouvrir.

2. Vlad (un as électricien) a relié les fils électriques de la sonnette d'entrée avec ceux de la radio. Ça veut dire qu'au moment où monsieur Sansfin va appuyer sur le bouton, la radio va s'éteindre d'un coup. On sera avertis. On ne fera plus de bruit nous non plus. Il croira qu'il n'y a personne et repartira.

Une chance, on a seulement la radio qui joue. D'habitude, je me plains parce que Vlad ne s'intéresse pas aux nouvelles technologies. On n'a pas d'ordinateur, pas de lecteur CD, même pas de télé ! Mais en ce moment, j'avoue, c'est mieux comme ça.

3. J'ai coincé ma gomme Haleine du Diable dans le trou de la serrure. Avis à ceux qui voudraient écornifler ; elle sent fort en titi !

4. On a pelleté le balcon d'en arrière. En cas d'attaque, on se sauvera par là. La seule chose hyper nulle, c'est qu'il faut rester tout habillés. Avec nos bottes et nos manteaux. Le jour comme la nuit. Toujours prêts à déguidiner si jamais monsieur Sansmanières se pointe le bout de la mitaine.

5. Heureusement, si ça arrive, mon ami William est d'accord pour qu'on se réfugie chez lui. Je suis certain que ses parents vont vouloir eux aussi.

29 décembre

Allô,

C'est calme. Presque plate. Peut-être que monsieur Sansretour a décidé de prendre des vacances. On doit le mettre sur le gros nerf des fois. Ça fait déjà quatre mois qu'il nous court après.

J'ai appelé William. Pas de réponse. Poche. Nul. Archi-poche.

30 décembre

Très cher cahier,

William m'a rappelé ! YÉÉÉ!!! Je suis allé m'éclater comme du pop-corn dans son sous-sol toute la journée. On a joué à des jeux vidéo pendant six heures d'affilée. J'en ai encore mal aux pouces. Ensuite, on a regardé un film. Puis après, pour se dégourdir les jambes, on a lancé une méga bataille intergalactique. Avec ses figurines Super Gladiateurs de l'Espace, on faisait des PFZUIII !!!... POW !!!... FFSHHHH !!! BOUM !!! en masse. William et moi, on ne le dit à personne qu'on joue avec des figurines. Il y en a qui en profiteraient pour nous traiter de bébés. Des jaloux, c'est sûr.

J'aurais voulu rester plus longtemps, mais le père de William est venu me reconduire. Vraiment poche.

2

DIX,
NEUF,
HUIT,
SEPT,
SIX,
CINQ,
QUATRE,
TROIS,
DEUX,
UN...

31 décembre

Salut,

Ma mère m'a téléphoné tout à l'heure. Sa voix était tout excitée. Elle me bombardait de questions : « Comment ça va avec Bert (Vlad)? », « Est-ce que tu réussis bien à l'école ? », « As-tu grandi beaucoup ? », « Fais-tu du sport ? ». Je n'avais même pas le temps de répondre. Je crois qu'elle avait trop hâte de me parler de son nouveau *chum*. De sa vie qui est belle maintenant. Tellement, qu'elle s'est acheté un petit chien. Elle a eu la permission de le garder à l'hôpital spécial où elle habite. Il s'appelle Oscar et elle le traîne partout dans son sac à main. Aussi, elle ne se ronge plus les ongles depuis qu'une amie lui en a posé des faux. Ma mère pense qu'on pourra se voir cet été. Si elle continue à bien aller, évidemment. Elle nous a souhaité une bonne année à tous les deux. Puis elle a raccroché.

Mon père aussi me donne un coup de fil le 31 décembre. D'habitude. Ça dépend s'il a assez d'argent. Il habite en Californie, à l'autre bout des États-Unis. Alors ça coûte cher d'appeler. L'an passé, on a parlé huit minutes. C'est tout ce que mon père pouvait se payer. C'est mieux que rien. Il m'a dit qu'il avait joué dans un long métrage. Un petit rôle de bandit. Malheureusement, il ne se souvenait plus du titre. Depuis ce temps-là, je me colle le nez à l'écran quand je vois des films chez William. J'observe les personnages de méchants. J'essaie de le reconnaître. Ce n'est pas évident. Il y en a qui sont masqués et tout.

Vlad a organisé un vrai festin pour le réveillon. Parce que c'était une occasion spéciale, il a acheté : de l'orangeade fluo, des jujubes surets enrobés de chocolat, des crottes au fromage triple croustillantes et de la tartinade à la saveur de pizza aux pepperonis. MIAMMMMM ! Vlad appelle ça de la « bouillie pour les extraterrestres et les pigeons ».

Pendant que j'avalais, ou plutôt, que j'aspirais le buffet, Vlad s'est installé au milieu du salon. Il a enfilé sa veste de velours bleu et a sorti sa baguette de magicien. Je le jure, mon grand-père lançait

un « ABRACADABRA ! » après l'autre. Il a fait disparaître un paquet de cartes à jouer au complet, de l'argent, un œuf et même un verre d'eau ! C'était son meilleur spectacle à vie. William aurait *flippé* de voir ça !

À minuit, on s'est donné un méga câlin du jour de l'An. Après, je ne me souviens plus. On s'est endormis tous les deux dans la berceuse. Tout habillés. Prêts à échapper à monsieur Sanscœur.

3

MÉCHANTE
VISITE !

7 janvier

Aouwtch !

Tout un retour à l'école ! Un policier est venu dans notre classe. Crois-moi, journal, ce n'était pas pour donner un atelier sur la sécurité routière. Hanhan. Il cherchait quelqu'un. Les élèves, on se regardait en silence. On essayait de deviner qui avait fait un mauvais coup. Et quelle sorte de mauvais coup.

Lucas Saint-Amour-Saint-Amand ! a grogné mon professeur.

Ma salive s'est coincée dans ma gorge. Tout le monde s'est retourné vers moi. Je ne sais pas comment, mais j'ai réussi à me lever, même si mes jambes claquaient des dents.

Monsieur Sansregrets m'attendait de l'autre côté de la porte, l'air super bête. Je l'avoue, j'étais tellement étonné de le voir là que, si j'avais eu une grosse envie, je me serais échappé dans mes culottes. Je me répétais « Ah non, pas lui… ». Je cherchais n'importe quelle excuse pour disparaître au plus vite. Faire semblant d'avoir mal au cœur ? M'inventer une maladie soudaine très rare et hyper-contagieuse ? Plus les secondes filaient, plus je m'énervais. Plus je m'énervais, plus les secondes filaient. Et moins j'avais de bonnes idées.

Monsieur Sansfrontières stressait lui aussi. Bizarre. Plus étrange encore, son visage se transformait. En quelques secondes, son air sévère était devenu un gros sourire triste avec des yeux de chiot malheureux. Il m'a dit, tout mielleux :

—Viens mon grand, il faut qu'on discute, toi et moi.

Mon pire ennemi jouait au gentil ?!

SAUVE-QUI-PEUT !

J'ai tout de suite repéré une sortie de secours. Mine de rien, je m'approchais de la porte à clenche en me grattant, en bâillant et en m'étirant. Mais à trois pas de la liberté, monsieur Sansfilet a deviné mon petit jeu. Il a claqué des doigts, SNAP ! Et le policier, ou plutôt, le bloc de béton sur deux jambes m'a barré la route. Je me doutais aussi que monsieur Sanstalent faisait semblant d'être gentil. Il m'a chuchoté :

—N'aie pas peur, sur un ton encore plus gnangnan que tout à l'heure.

Il voulait qu'on aille « converser » dans la salle des professeurs. Il m'a promis

28

qu'il n'était pas ici pour me punir. Qu'il avait quelque chose d'important à me dire. Et que je pourrais même retourner en classe après. J'hésitais. Il insistait. Je voulais me sauver, mais quelque chose me disait qu'il fallait que j'endure monsieur Sansremords encore un peu. Alors, j'ai accepté de le suivre.

On marchait en silence, ou presque. Les SCOUIK SCOUIK de mes *running shoes* résonnaient sur le plancher frais ciré des vacances de Noël. Ah ! les vacances ! Chez nous, avec Vla… J'ai freiné des orteils en plein milieu du corridor. VLAD ??? Il était où en ce moment ? Est-ce que monsieur Sansrelâche l'avait visité lui aussi ? Sûrement ! Sapristi !!! J'imaginais mon grand-père en train de… de……………… s'enfuir ! Évidemment !

Ouf ! J'étais soulagé. Grâce à notre super plan : la sonnette qui éteint la radio, le miroir qui montre la porte, ma gomme qui pue et le balcon déneigé, Vlad s'était échappé. J'en étais certain !

Je suis entré dans la salle qui sent le café à plein nez, le sourire fendu jusqu'aux oreilles. Monsieur Sansfarce m'a demandé ce qui me faisait rire comme ça. Tu penses… j'ai gardé le secret pour moi.

Sérieux comme un premier ministre, il a ouvert sa mallette. Il a sorti l'enveloppe rouge de l'autre jour et il a lu la lettre à l'intérieur. Ça disait, en gros : «À la suite de l'étude du dossier numéro… (je ne m'en souviens plus), le comité… (bla bla bla) a établi que monsieur Bert Saint-Amour souffre d'importantes fluct… (quelque chose) du comportement, de conf… (quelque chose) et d'hallu… (quelque chose). Les tests des douze derniers mois démontrent une (quelque chose quelque chose) d'autonomie». Là, je reconnaissais monsieur Sansqueuenitête. Un paquet de mots compliqués rien que pour me mélanger.

Comme je n'ai pas réagi à ce qu'il m'annonçait, il a repris son air d'animal triste et il a traduit :

— Il faut qu'on s'occupe de lui. Jour et nuit. On n'a plus le choix, Lucas. On doit placer ton grand-père en centre d'accueil.

J'aurais préféré qu'il continue avec sa lettre « d'expert ». Ça aurait fait moins mal. Là, ça cognait dans ma tête. Comme des coups de marteau. Deux mots : CENTRE D'ACCUEIL.

C'était trop injuste.

— C'est pas vrai ! Il est pas malade, il est vieux ! C'est pas pareil ! Je le sais !

C'est MON grand-père ! j'ai protesté de toutes mes forces.

Je sentais mes joues devenir rouges comme un camion de pompiers. Ça me brûlait par en dedans. Je me criais « C'EST PAS VRAI ! ». Même si je savais au fond de moi que monsieur Sansfaçon avait un peu raison.

C'est la première fois que je t'en parle, journal, mais de temps en temps, Vlad s'enferme dans une sorte de bulle invisible. C'est comme si sa tête visite une planète imaginaire pendant que son corps reste avec nous. Dans ces moments-là, il fait des choses sautées comme : chanter des chansons de cowboy à tue-tête, tricoter ou laver la vaisselle avec ses vieux t-shirts. Aussi, il m'appelle « Saint-Luc » au lieu de Lucas. Je ne sais pas pourquoi. Ce n'est pas grave. Ça ne dure pas longtemps.

Puis DING ! J'ai tout compris d'un coup. Monsieur Sansgêne était en train de me tendre un piège. Vlad n'avait jamais été dans sa bulle devant lui, il me semble. Comment le savait-il, alors ? C'était une attrape. Il faisait semblant d'être au courant. Il me tendait une perche pour que j'avoue que, parfois, Vlad devenait zinzin. Tout ça pour régler notre cas à mon grand-père et à moi. NON MERCI !

J'imaginais Vlad en train d'organiser notre fuite à l'abri des fatigants comme monsieur Sanschapeau. Je lui ai même envoyé en pleine face :

— Premièrement, avant de placer Bert, il va falloir que vous le trouviez !

Monsieur Sanschose a eu l'air surpris :

— Pardon ? Ton grand-père est à l'appartement et il prépare vos valises en ce moment.

Ma mâchoire du bas est tombée jusqu'à mes pieds.

Hannnnn...?!

La bouche grande ouverte, je ne le croyais pas. C'était IMPOSSIBLE !

Monsieur Sansarrêt s'est approché de moi et il m'a tapoté l'épaule comme à un bébé. Je pense qu'il voulait me rassurer quand il m'a promis que tout irait bien. Il m'a annoncé fièrement qu'il m'avait déniché une « SUPER» famille d'accueil. Un « milieu de vie adé...adéquat » juste pour moi. Il m'a dit de ne pas m'inquiéter, qu'ils étaient prêts à me recevoir dès demain. Monsieur Sanschagrin m'a tendu un mouchoir tout fripé. « Pour quoi faire ? » je me suis demandé. Je n'avais pas envie de me moucher ! Puis ma vue s'est embrouillée. Des larmes se sont mises à dégouliner le long de mes joues. Je pleurais. Ouais !

NUL !!! Le directeur (un remplaçant) n'a pas accepté de me donner congé pour le reste de la journée. Il ne voulait pas passer pour un doux, je parie. Une chance, monsieur Sansproblème m'a juré que Vlad serait à l'appartement encore un bon bout de temps.

Je suis retourné en classe, totalement sonné. J'ai passé les périodes de l'aprèsmidi à essayer de comprendre. Comment monsieur Sansidées avait-il déjoué Vlad pour qu'il lui ouvre la porte ? Comment l'avait-il convaincu de faire nos valises ? On n'a même pas de valises !

Dès le DRRR du DRING de la cloche, j'ai filé comme une fusée hors de l'école. Je courais plus vite que l'autobus. Je courais même plus vite que mes bottes. J'avais les genoux aussi mous que du pouding une fois arrivé chez nous. En entrant, j'ai crié :

— Vlad !!!

Un coup d'œil à gauche. Un à droite. Pas de Vlad à l'horizon. À la place, il y avait deux femmes qui séparaient nos choses. Une pliait mon pyjama à pois. L'autre tentait de choisir parmi les sept brosses à dents de mon grand-père laquelle était la moins usée.

Entre deux expirations, j'ai articulé :

— Heuhf... Où est Vlad ?! Heuhf... Bert, je veux dire.

La dame qui rangeait mon pyjama m'a demandé :

— C'est quoi ton petit nom mon garçon ?

— Euh...

NOIR TOTAL. Je ne me souvenais plus comment je m'appelais tellement ma tête pensait à autre chose :

— Où est Bert ?!!!

On aurait dit que la dame ne m'avait pas entendu une miette. Elle m'expliquait, super lentement, comme si j'avais deux ans, qu'elle et sa collègue étaient des bénévoles chargées par monsieur Sansregrets de nous aider à empaqueter nos choses.

— Où est Bert ?!!!! Où est Bert ?!!!!!!!!! Je commençais à les inquiéter, je crois, à hurler comme un perroquet débile. Madame-brosse à dents a pointé son index vers la salle de bain. Il se tenait là ? Tout ce temps-là ?

J'ai poussé la porte doucement. Vlad s'installait dans la baignoire. Il marmonnait. En l'apercevant, j'ai compris pourquoi il avait laissé entrer les bénévoles de monsieur Sanspermission. Il était dans sa bulle imaginaire ! Sapristi !!!

J'ai ouvert le rideau de douche au complet et j'ai réalisé que mon grand-père ne parlait pas tout seul. En fait, il papotait avec Coincoin notre canard en plastique jaune. Je n'aime pas ça quand Vlad est dans sa bulle. Ses yeux sont comme des portes fermées. Même si je l'appelle vingt fois. Même si je le fixe à

m'en sécher les pupilles. Il n'y a rien à faire. Il ne me voit pas.

— Vlad... Vlad... Vlad... ? j'ai répété comme un CD brisé.

Trois cents ans plus tard, il s'est tourné vers moi, tout émerveillé :

— Saint-Luc ? C'est toi ?

On aurait dit qu'il me découvrait pour la première fois. Trop bizarre...

Ça n'a pas été facile de convaincre les bénévoles que tout allait numéro un. De leur faire croire que Vlad-Bert restait caché parce qu'il adorait prendre de très très trèèèèès longs bains. Heureusement, Madame-brosse à dents s'est souvenue qu'au centre d'accueil il ne se laverait pas si souvent. Alors, les deux femmes nous ont laissés tranquilles et elles sont parties.

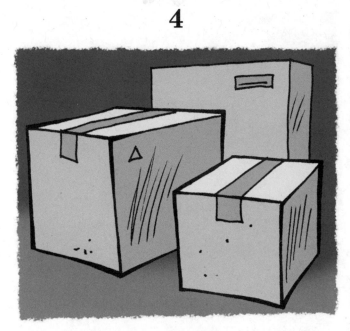

4

CAUCHEMARS

8 janvier

Pfffff... Il est deux heures du matin. Vlad est sorti de la baignoire, mais il jase toujours avec Coincoin. D'habitude, il est dans sa bulle une demi-heure, une heure, max. Là, ça doit faire au moins dix heures. Je n'arrive pas à dormir. Je pense à monsieur Sansplustarder qui vient nous chercher demain mat... non, CE matin, après le déjeuner. Je vais essayer le truc de compter des moutons, tiens. Bonne nuit, journal.

Je me suis réveillé en sursaut. Je rêvais que Vlad et moi, on était poursuivis par un troupeau de moutons géants. On courait au milieu d'un immense champ de feuilles rouges. Il n'y avait pas d'endroit où nous cacher. Pas d'arbres. Pas de maisons. Rien que des pattes de moutons hautes comme des gratte-ciel qui piétinaient tout sur leur passage. On sautait comme des kangourous BOING !

BOING ! pour ne pas finir écrabouillés. Tout à coup, on a glissé dans un grand trou. Une espèce de nid-de-poule énorme aussi creux qu'une piscine sans fond. Je chutais en battant des bras (l'air franchement tata) quand je me suis réveillé entortillé dans mon drap. FIOU ! J'étais couché dans mon vrai lit. Sauf que j'entendais Vlad chanter à tue-tête dans la cuisine. Ouais ! Mon grand-père flottait encore dans sa bulle imaginaire. Parfois je me demande ce qui est pire : un cauchemar endormi ou un cauchemar éveillé ?

Puis BANG ! Vlad a ouvert ma porte de chambre avec son pied. Pas le choix, il avait les deux mains occupées à préparer une omelette aux oignons. Il souriait. Il pétillait des yeux. Il chantait avec la radio. Je m'étais trompé. Vlad était de retour sur la planète Terre. YÉÉÉ !!!

— Debout, Lulu ! Je vois qu'on a eu de la « visite »… il a lancé, le regard pointé vers les boîtes de déménagement.

Je n'en croyais pas mes yeux. On aurait dit qu'il avait rajeuni de dix ans.

— Grouille-toi Lucas. Tiguedop, c'est le temps de partir !

On s'est dépêchés d'attraper quelques objets essentiels. Comme toi, mon cahier-cadeau de Noël. Pour nos vêtements,

Vlad a eu une titi de bonne idée. On les a tous enfilés les uns par-dessus les autres. Ça faisait moins de choses à transporter. Aussi, il m'a dit de laisser mes affaires d'école de côté. Il n'était pas question que je retourne là où monsieur Sanslunettes savait où me trouver.

On a quitté l'appartement à toute vitesse ZIOUHHH ! Sauf qu'en passant devant le nid-de-poule, au coin de la rue, je n'ai pas pu m'empêcher de ralentir. Vlad a deviné ce que je voulais. Il m'a fait

signe que « non ». On était trop pressés pour jouer une petite partie. Tant pis.

J'étais tellement content que Vlad soit sorti de sa bulle que j'avais oublié de lui demander :

— Où est-ce qu'on va, maintenant ?

Il a fouillé dans sa tête grise.

— Euh... ah oui ! Chez Gustave.

Ça a giclé tout seul :

— BWEUARK !

Gustave est gentil, mais il pue en titi. Sa chienne pue. Sa maison pue. Je sais que ce n'est pas de sa faute. C'est parce qu'il est voisin du dépotoir municipal, mais il pue quand même.

Je ne voulais pas contredire mon grand-père. Mais, en même temps, je n'avais vraiment pas envie de camper chez son ami. Je traînais derrière Vlad quand je me suis souvenu ; je l'avais déjà trouvée la solution ! Je lui ai emprunté 50 cents et j'ai foncé dans une cabine téléphonique. Il fallait que j'appelle William. J'aimais cent fois mieux qu'on se réfugie chez lui que chez Gustave.

J'ai glissé les pièces de monnaie dans la fente du téléphone public. J'avais composé le 514-735 – quand Vlad a coupé la ligne KE-CLING ! Les 25 cents ont rebondi dans le réservoir.

— Attends une seconde, a-t-il protesté.

Vlad avait deviné que je téléphonais à mon meilleur copain et à sa famille. Le numéro 5 de notre super plan, après tout... Il me sortait toutes sortes de raisons tordues pour ne pas les appeler finalement : « Je les connais juste un tout petit peu », « Ils ont gagné le gros lot à la loterie l'an passé », « J'ai peur de salir leur maison », etc. En même temps qu'il me parlait, ses yeux rapetissaient et ses joues viraient au rouge ketchup. Je ne l'avais jamais vu comme ça. Vlad était gêné ! Oui, gêné de demander une faveur aux parents de William.

Je me sentais mal. Sa drôle de réaction m'avait rendu timide, moi aussi. J'ai arrêté d'insister. Et on a continué notre chemin jusque chez Gustave-le-puant. Mais j'ai gardé les pièces de monnaie, au cas où...

9 janvier

Ouf... J'ai survécu à la nuit la plus épeurante de toute ma vie ! Dès que je m'endormais, l'odeur dégeu du dépotoir transformait mes rêves en films d'horreur. Des monstres géants vêtus de sacs poubelles me pourchassaient. La gueule ouverte pleine de mouches BIZZZZZ, ils voulaient m'avaler.

Je me suis réveillé au moins dix fois. Je toussais comme un fumeur. J'ai même failli vomir. Je crois que Vlad m'a entendu. Ou peut-être qu'il a fait les mêmes cauchemars que moi. En tout cas. Vlad s'est dégêné ce matin et il a accepté de téléphoner aux parents de William. YÉÉÉ !!!

5

10, RUE DES FLOTS DORÉS

Chaque fois que Vlad composait le numéro, il tombait sur le répondeur :

— Bienvenue à la résidence principale des De La Grange. Veuillez laisser un bref message après le timbre de la harpe. Nous vous recontacterons dès que nous serons disponibles. En attendant, nous vous souhaitons une agréable journée TRUING TRUING !

Vlad ne disait pas un mot après le « TRUING ! ». Ça ne servait à rien. Les parents de William ne pouvaient pas nous rappeler. On utilisait un téléphone public. Alors, Vlad recommençait à composer. Et moi, je croisais mes doigts en espérant « pourvu qu'ils répondent cette fois-ci ». Je pense que mon grand-père s'est tanné. Il est sorti de la cabine en m'annonçant :

— On n'a plus le choix, Lucas. Il faut aller chez eux et leur parler en personne.

Yahou ! Encore mieux !

Une fois arrivés au 10, rue des Flots Dorés avec toutes nos choses sur le dos, j'ai sonné. J'ai appuyé sur la sonnette une deuxième fois. Une troisième fois. Deux doubles coups DING-DONG DING-DONG ! Quand la porte s'est enfin entrouverte, Justine, LA MÈRE DE MON MEILLEUR AMI, QUI ME CONNAÎT

DEPUIS LA MATERNELLE !, me regardait comme si j'étais une bibitte à cinq bras. Pendant ce temps-là, Karl, le père de William, criait des jurons en déboulant l'escalier. Il y avait seulement mon copain de bonne humeur qui me faisait un signe de la main.

Okay, j'admets. Il était un peu tôt le matin. Les rayons du soleil ronflaient encore et le ciel ressemblait à une grosse douillette mauve hyper confortable. Mon grand-père trouve que c'est le plus beau moment de la journée. Je suis d'accord avec lui.

— Excu-cusez-moi, j'aime ça être de bon-bonheur sur le pi-piton, il a bégayé pour s'expliquer.

Les parents de William étaient fâchés en titi. Ça se voyait. On aurait dit des volcans chevelus prêts à cracher de la lave (ou de la bave). Nos chances de se faire inviter à entrer semblaient aussi minces qu'une omelette sans œufs.

Avant qu'ils nous ferment la porte au nez, Vlad a vite inventé un méga mensonge. Ils étaient trop enragés pour qu'on leur dise la vérité. Ça c'est sûr.

— Si l'on, hum... hum... vous rend visite en cette mââgnifique mââtinée mââtinale, c'est parce que notre propriétaire repeint notre appartement, en ce moment, présentement, dans toute sa grandeur au grand complet, il a dit en essayant de bien parler.

Les De La Grange se regardaient du coin de l'œil, pas trop convaincus. Pour aider mon grand-père, j'ai ajouté :

— Et malheureusement, je suis allergique à la peinture fraîche.

Karl et Justine me fixaient, des points d'interrogation à la place des yeux. Ils avaient l'air de trouver ça bizarre comme maladie. Mais, au moins, ils s'étaient calmés un brin.

Alors Vlad a continué d'improviser :

— Le propriétaire voulait nous reloger dans un grand hôôtel du centre-ville en attendant. Hélââs, j'ai refusé. Moi aussi, hum... j'ai des allergies. Oui, c'est cela. Je suis très allergique, euh... au savon. Celui qu'ils utilisent pour laver les draps et les serviettes. Ça me pique ! Je me gratte jusqu'au sang pendant des jours !

— Onhhhh ! pauvre vous, a soupiré Justine, la main sur la bouche.

Ça marchait ! Les parents de William paraissaient touchés par nos « ennuis ». Alors Vlad en a profité pour parler de la réalité :

— Étant donné que notre parenté est éparpillée, décédée, dans un hôpital spécialisé ou en Californie, on est un peu mal pris. On cherche un endroit où habiter un petit bout de temps.

— Une maison qui sent bon ! j'ai lancé en me revoyant chez Gustave.

— Un coin de sous-sol ferait l'affaire, a précisé mon grand-père.

Les De La Grange n'avaient jamais entendu une histoire aussi cinglée. Ils restaient muets, les yeux aussi mélangés que leurs pensées. Nous, on attendait, poliment. Puis le vent s'est soulevé. Leurs pyjamas aussi. Comme des voiles de bateau. Ils devaient avoir froid au nombril. En tout cas. Ils nous ont invités à l'intérieur. Fiou !!!

Une fois dans la cuisine, Karl s'est assis à sa place au bout de la table.

— C'est bien beau, mais vous nous offrez quoi en retour de notre hospitalité ?

— Bo-bonne question, a répondu Vlad qui n'y avait pas pensé. Moi non plus, d'ailleurs.

Après quelques eum… euh… euf…, mon grand-père a cliqué. Il pouvait s'occuper des appareils et des fils électriques ! Karl n'a pas accepté. Tout était neuf chez

50

eux. À commencer par leur maison. Il n'y avait même pas une ampoule à remplacer.

—Je sais faire la cuisine, s'est repris Vlad.

Pendant ce temps-là, Justine, habillée et pomponnée, revenait de sa chambre. Elle l'avait entendu.

—Et quelles sont vos spécialités, monsieur Saint-Amour ?

—Omelette aux oignons, omelette au jambon, omelette au fromage, omelette aux épinards, omelette au…

—Merci ! Merci. Moi, je suis allergique aux œufs. Désolée.

Vlad a pensé vite et il a mentionné ses talents de jardinier. Karl lui a rappelé qu'on était au mois de janvier. Oups ! Mon grand-père se sentait vraiment embarrassé. Il n'osait plus rien offrir. De mon côté, j'avais peur qu'on soit obligés de partir. Je ne voulais surtout pas aller chez Gustave. Alors, j'ai envoyé à Vlad mon regard de guimauve ramollie. Le plus suppliant, comme quand j'étais petit. Je le jure. Une seconde plus tard, une étincelle illuminait son visage. Il avait trouvé une idée géniale. Mon grand-père leur a promis un spectacle de magie tous les soirs !

— Whhouiii !!! a crié William.

Vlad s'est avancé vers eux en souriant comme dans une publicité de dentifrice.

— Madame et Messieurs, ouvrez grand vos deux yeux. Voici le roi de la disparition !

Il a attrapé la salière et il l'a fait disparaître POUF ! D'un coup. Justine et Karl n'étaient pas épatés du tout. Au contraire, ils avaient l'air hyper nerveux. La mère de William jouait avec son collier de perles sans arrêt. On aurait dit qu'elle avait peur que Vlad le fasse disparaître lui aussi. Pourtant, ce n'était que de la magie.

— Abracadabra, sel de vermicelle, traverse-lui la cervelle !

Re-POUF ! Vlad récupérait la salière vide derrière l'oreille droite de William. Pendant que les grains de sel coulaient de son oreille gauche comme d'un robinet. WHOAWH ! Trop méga ce truc-là !

Quand même. Je sentais que l'offre de mon grand-père ne suffisait pas. C'est à ce moment-là que j'ai eu l'idée la plus plate du monde, SPLOTCH ! sauf que cette solution fonctionnait toujours auprès des adultes. Alors, je me suis sacrifié.

— Moi, je vous promets, que je, hum… passerai l'aspirateur, laverai la vaisselle,

ferai la lessive, époussetterai les meubles, sortirai les poubelles, nettoierai les planchers, changerai les draps, arroserai les plantes et « dégrenoucherai » vos chaussettes, tous les jours !

— Merveilleux !!! a lancé Justine en tapant des mains comme une otarie.

Pour être bien certain qu'ils accepteraient, j'ai ajouté sur un ton de serviteur snob :

— Étant donné que je ne vais plus à l'école, je suis à votre ENTIÈRE disposition.

GROSSE GAFFE !

Karl s'est approché de moi, un petit sourire pas drôle au coin des lèvres. J'avais trop parlé. Je le savais. Je réfléchissais à la vitesse supersonique pour trouver un autre sujet de conversation. Mais le père de William a été plus rapide que moi.

— Es-tu assez fort pour sortir les ordures ? Comment sais-tu si nos chaussettes ont besoin d'être « dégrenouchées » ? Depuis quand un pré-adolescent veut absolument épousseter ? Pourquoi t'as décroché de l'école, Lucas ?

Décroché ?! Où est-ce qu'il allait chercher ça, lui ?

54

—Je n'ai pas décroché ! C'est parce que mon grand-père et moi on se cache de notre travailleur social…

OUPS !

TITI DE GROSSE GAFFE !

Je ne suis pas habitué à raconter des mensonges compliqués comme des toiles d'araignées. Je me suis mêlé. J'ai oublié l'histoire de la peinture fraîche et des allergies. Et j'ai dit la vérité.

On est partis avant que Karl et Justine nous posent d'autres questions. William était déçu, et moi aussi. Poche, poche, poche !

En s'en retournant chez Gustave, je m'en voulais d'avoir tout fait tomber à l'eau. J'avançais à pas de tortue. Le dos écrasé. Le cœur pesant. Quand, entre deux fentes de trottoir, un caillou a rebondi devant moi. Vlad me l'avait passé avec son pied. Il y avait un nid-de-poule à côté. Alors, on a joué. Et j'ai gagné 5 à 3. Je me sentais mieux après.

—Comme ça tu voulais faire du ménage toute la journée ? m'a taquiné Vlad.

—Bof…

—T'es brave. Moi, je ne me serais jamais offert pour « dégrenoucher » les chaussettes des autres.

— Pfff… de toute façon, je parie qu'ils ont juste des chaussettes neuves, j'ai dit en blaguant.

— T'en fais pas avec ça. J'étais prêt à planter des fleurs en pleine neige.

On s'est regardés et on a pouffé de rire. On avait complètement manqué notre coup chez les De La Grange. Sauf pour une chose : Vlad était toujours un hyper-extra-méga-bon magicien. Il avait même réussi à faire disparaître mon chagrin. Je te le dis, journal, mon grand-père c'est un vrai de vrai.

Dommage qu'il fasse seulement disparaître des objets et pas des odeurs…

6

PWOUAHH...

10 janvier

Ça pue, ça pue, ça pue ! Oh, euh… est-ce que je t'ai déjà mentionné que ÇA PUE?!!!

11 janvier

Je n'ai rien de neuf à t'écrire sauf que… ça ne sent vraiment PAS BON. Ça sent le pet de poubelle, l'haleine d'égout. Ça sent POURRI EN TITI !!!

12 janvier

Je sais que j'ai l'air obsédé, mais je n'arrive pas à penser à autre chose qu'à mon nez.

13 janvier

Très cher cahier,

Lorsque je me suis levé, il y avait une épaisse couche de neige sur le dépotoir. C'était presque beau. Mais encore mieux : l'odeur des ordures avait disparu ! Je te le jure ! On aurait dit que la puanteur restait prise en dessous de la couverture blanche. Ahhhhhhhhh... Un peu comme quand on pète sous son drap.

14 janvier

À cause d'un redoux anormal pour la saison, la neige a fondu. TOUTE la neige ! Ça veut dire : fini la couverture de protection. Et re-bienvenue la senteur de mouffette écrapoutie. Je n'ai pas hâte à l'été. Avec la chaleur, ça va être le joyeux festival du moisi !

7

AHHHHHH...
POUR VRAI !

15 janvier

Cher journal,

Au revoir, goodbye, adios la puanteur ! J'ai trouvé de petites pinces en bois sur la corde à linge de la salle de bain. J'en ai installé une sur le bout de mes narines. Ça me donne une voix de canard débile. Mais au moins je ne sens plus rien.

Gustave, lui, l'odeur de pourriture gluante ne le dérange pas. Il est très endurant. Il nous répète tout le temps :

— P'tites natures va ! C'est simple. Pensez à autre chose !

Je me demande s'il a toujours été fort comme ça. Ou s'il l'est devenu après « l'événement ». Il y a longtemps, cahier. Avant que je naisse. Gustave vivait dans une espèce de grand manoir. Comme dans les contes de fées (pour filles). Puis, une nuit, le feu a tout brûlé. Il paraît qu'il possédait plusieurs bibliothèques et des tonnes de livres. Le lendemain matin, il restait seulement des bouts de murs et de la poussière de papier. Gustave avait tout perdu. Et depuis l'incendie, il vit ici. Dans une maison abandonnée. Au bord du dépotoir. Je ne connais pas grand monde qui aurait le courage de vivre comme lui (à part nous, évidemment).

En tout cas. Vlad y arrive souvent, lui, à suivre le conseil de son ami ; à « penser à autre chose qu'à l'ODEUR ». Même parfois, on dirait qu'il oublie tout à fait que ça pue.

Clochette (la vieille chienne de Gustave), elle, sa truffe bouge sans arrêt. Y compris quand elle dort. Elle passe son temps à renifler les senteurs invisibles qui flottent dans l'air. Je parie qu'elle trouve que ça sent délicieux.

Eh bien tant mieux pour eux ! Moi, je préfère protéger mon nez avec une pince à linge. Ahhhhhhh…

Tout allait numéro un quand mes narines se sont mises à picoter. Puis à élancer comme des boules de bolo PONG, PONG, PONG ! Mes yeux coulaient aussi. Mon visage s'engourdissait. Au bout de deux heures, je n'en pouvais plus. Okay, je ne sentais plus la puanteur. Mais je ne sentais plus mes narines non plus. J'ai ôté ma pince avant que mon nez devienne bleu et qu'il tombe. En fin de compte : 0 sur 10 pour le bidule en bois.

En attendant de trouver une autre solution, j'ai plaqué ma main sur mon visage. Au moins, je respirais ma peau (et un peu de mon dîner).

Tu ne vas peut-être pas me croire, journal. Malgré l'odeur qui me donne mal au cœur, j'aime ça habiter chez Gustave. Sérieux. En fait, je me sens à l'abri ici. On vit dans une maison oubliée au bout d'une rue déserte. Même monsieur Sans-limites ne pense pas à venir dans notre coin. On est bien.

16 janvier

Salut !

Cette fois-ci, j'ai vraiment trouvé ! J'ai déniché un long foulard qui pendait entre deux tiroirs. Je l'ai attaché autour de ma tête. Je ressemblais aux petits enfants dehors, l'hiver ; le foulard enroulé autour du capuchon. J'avoue, c'était plutôt nul comme style pour un gars de mon âge. Mais la laine caressait mes narines au lieu de les pincer ! Alors, ça valait la peine de passer pour un bout de chou de garderie.

Sinon, bof…

Pour me désennuyer, j'ai mesuré la taille des pièces avec mes pieds. Par exemple : ma chambre mesure 15 pieds-de-Lucas par 12 pieds-de-Lucas et 3 orteils. La salle de bain (hyper-dure à calculer à cause de la baignoire) mesure 8 pieds-de-Lucas par 5 pieds et 4 mains-de-Lucas.

Une fois au salon, j'alignais mes pas avec précision. Quand mon grand-père a crié :

—Au voleur !!!

—Quoi ?! Où ça ?! j'ai crié, effrayé.

Vlad regardait ma tête enroulée en rigolant gentiment. Gustave levait les yeux au ciel.

—P'tite nature va ! Ce n'est pas une écharpe qu'il te faut. C'est un scaphandre avec une bonbonne d'air parfumé à la rose.

Ah ! ah ! très drôle… J'ai continué mon mesurage sans rien dire. Au même moment, j'ai remarqué un bruit bizarre derrière moi. Une espèce de son de moteur qui grossissait à chacun de mes pas grrrrrr... J'ai jeté un coup d'œil par-dessus mon épaule. Clochette grognait en me fixant avec des yeux méchants.

—Qu'est-ce qu'il y a Cloclo ? C'est moi, Lucas.

Je me suis approché pour la caresser. Erreur. La chienne s'est mise à japper comme une déchaînée. Gustave l'a attrapée par le collier.

—Elle pense que tu es un vrai cambrioleur. Enlève ça !

J'ai vite déroulé le tissu. La bête s'est calmée aussitôt.

Vlad n'en revenait pas.

—Mes aïeux ! Ta Clochette est encore féroce pour ses 16 ans !

—Elle a 13 ans ! a répliqué Gustave. C'est toi qui l'as trouvée. Tu devrais t'en souvenir.

— Exactement ! L'année de ma retraite. Il y a 16 ans.

— Tut-tut. Plutôt trois ans avant la naissance de Lucas.

— Impossible !

— Impossible ?! Qu'est-ce que tu racontes ? Tu avais arrêté de travailler depuis une éternité.

Vlad et Gustave se sont obstinés comme ça toute la soirée.

J'ai rangé le foulard de « voleur » dans le tiroir. Et je suis allé me coucher, le nez dans mon oreiller.

17 janvier

Allô,

Je cherchais la soie dentaire dans la pharmacie lorsque j'ai découvert des boules d'ouate. Je ne sais pas à quoi ça sert normalement. En tout cas. Elles étaient douces, petites, molles. En fait, idéales pour mon nez. Alors, j'en ai coincé une dans chaque narine. BINGO ! Je ne sentais plus la mauvaise odeur. Et je ne ressemblais pas à un voleur idiot. YÉÉÉ !!!

Puis après ? Rien. RIEN à faire. J'avais déjà mesuré la maison au complet. Même l'intérieur des garde-robes. J'essayais d'inventer d'autres activités. N'importe quoi d'un peu amusant. Tout ce que j'ai trouvé ce sont mes lacets. J'ai décidé de les attacher. Ouais. J'ai même terminé par des boucles. Pffff...

Pendant que Vlad recousait un de ses gants de laine, il a remarqué que je devenais fou d'ennui.

—Pourquoi tu joues pas avec Clochette ?

—Bof... j'ai répliqué en haussant les épaules.

—Tiens, j'ai une idée ! Apprends-lui des trucs.

Le mot « truc » m'excitait déjà un peu plus.

—Je l'ai ! On pourrait monter un spectacle ensemble. Toi avec la chienne. Moi avec des numéros de magie. Qu'est-ce que t'en penses ?

—Génial !!! j'ai crié en serrant mon grand-père dans mes bras.

Ma journée venait de se retourner comme une omelette. Tout d'un coup, grâce à lui, j'imaginais un paquet de possibilités. Pas juste pour aujourd'hui, mais pour plus tard aussi. Je me disais « Avec le temps, je pourrais peut-être devenir son assistant », « Il va sûrement m'apprendre ses secrets », « On va former une super équipe » et plein d'autres choses comme ça.

Mais d'abord, je devais montrer des trucs à Clochette. En fait, non. En premier, il fallait la réveiller. Je me suis penché pour la caresser quand j'ai aperçu une petite crotte jaune gluante à mes pieds. Puis une deuxième à côté. J'ai reniflé SNIF SNIF. L'air sentait dégeu comme avant. J'ai tâté mes narines. Elles étaient vides !!! Les petites mottes sur le sol, c'étaient mes boules d'ouate pleines de morve ! Elles avaient glissé hors de mon nez ! AHRGHHHHHH............

En me relevant, j'ai deviné une drôle de forme à l'extérieur. Je me suis arrêté pour la regarder. La forme était celle d'un homme. « Ah ! non, pas lui en plus ! » je me suis dit, hyper frustré. J'ai averti les autres.

— Attention ! monsieur Sansregrets fouine de l'autre côté de la rue.

Vlad et Gustave ont couru jusqu'à la fenêtre. L'homme restait de dos. Mon grand-père n'arrivait pas à l'identifier comme il faut. Ce « monsieur Sansregrets » ne portait pas les mêmes vêtements que d'habitude. Aussi vite qu'une toupie, il a pivoté vers nous. On s'est jetés par terre.

Puis on a attendu, allongés sur le plancher.

Au bout de quelques minutes, je n'en pouvais plus de faire la statue. Je voulais savoir qui rôdait par ici. Si on devait demeurer étendus ou se sauver. Je me suis tourné vers mon grand-père. Il a tout de suite deviné ce qui me trottait dans la tête.

—Vas-y, mais sois prudent, il m'a chuchoté.

J'ai rampé jusqu'à la fenêtre et j'ai essayé de voir sans être vu. L'homme avait fichu le camp. OUF !!! Ça ne devait pas être monsieur Sansallure. Lui, il serait venu écornifler jusqu'ici. Garanti !

Vlad s'est relevé, l'air inquiet. Il grignotait ses lèvres nerveusement. Gustave l'observait.

—Calme-toi, il est parti.

—Ouais ! pour combien de temps ?

—C'était sans doute un monsieur de cinéma. J'en aperçois régulièrement par ici. Ils font du « repérage »; ils cherchent un lieu pour tourner des scènes de films.

—T'as peut-être raison, a reconnu mon grand-père.

Il essayait de relaxer. Ça durait une ou deux inspirations. Puis il recommençait à mordiller ses lèvres. Je le lisais sur son visage. Il avait peur qu'on ait d'autres visiteurs. Et, qu'un jour, ce soit le vrai monsieur Sansnom qui passe par ici. Il tâtait les murs, cherchait un recoin pour nous cacher.

— As-tu une trappe qui mène au sous-sol ou au toit ? Un garde-robe très profond ? a-t-il demandé.

Gustave a hoché « non » de la tête.

Mon grand-père nous a sauvé la vie tellement souvent. On pouvait se fier à son intuition.

8

FEU
FEU
« JOLI »
FEU

25 janvier

Salut cahier,

Je vais peut-être te dégoûter. J'ai emprunté les bouchons pour les oreilles de Gustave. Et je les ai coincés dans mes narines (ne t'inquiète pas, je les ai nettoyés avant, ils sont en caoutchouc). Ça fonctionne. Pour le moment…

Après souper, Vlad préparait un feu dans la cheminée. Il plaçait les bûches, le petit bois et le papier journal dans l'âtre. Puis juste avant d'allumer, il changeait d'idée. Il défaisait tout et recommençait.

Depuis l'apparition de l'homme, l'autre jour, mon grand-père est hyper-stressé et super indécis. Il ne nous a pas encore trouvé une bonne cachette. Je crois que c'est ce qui le rend tout mêlé comme des cheveux dépeignés.

J'avais hâte qu'il se décide. Qu'il craque enfin son allumette. Je gelais de partout.

— Dépêche, Vlad, j'ai froid.

Il ne réagissait pas.

—Vlad ?!

Au même moment, Gustave revenait de sa promenade avec la chienne. Dès qu'il a compris ce que mon grand-père fabriquait, il s'est exclamé :

—Excellente initiative, Bert ! Un peu de chaleur pour nos vieux os, hein, l'ami ?

Vlad restait dans son monde, sans répondre. On aurait dit que…

J'aimais mieux ne pas y penser.

Gustave s'est approché pour répéter plus fort.

—Hein, l'am…

Quand il a vu les rondins de bois.

—Voyons, Bert ! Tes bûches ne sont pas disposées en quadrillé ! Ton feu va s'étouffer le temps de le dire !

Vlad s'est réveillé. Il avait entendu cette fois-ci. FIOU !

—Ah !… euh !… en forme de tipi indien ça donne un aussi bon feu, il a répliqué.

—Je t'aurai averti, je t'aurai averti, a chantonné Gustave.

—On gage ? a lancé mon grand-père, agacé.

—Tu ne me le demanderas pas deux fois !

Gustave était tellement sûr de lui qu'il a proposé un défi.

—Je vais vous raconter une histoire. Si le feu s'éteint avant que j'aie prononcé le mot « fin » – et c'est ce qui va arriver – j'aurai eu raison. Sinon... bien on verra.

Vlad a accepté. Il a craqué son allumette, touché le journal à quelques endroits et VWOUHHH. Le papier dansait le *twist* tandis que le foyer devenait aussi chaud et orange que de la sauce piquante. Gustave a commencé aussitôt :

—Le livre que je vais vous réciter s'est envolé en fumée autrefois. Mais l'histoire qu'il racontait est restée gravée dans ma mémoire. Elle s'intitule : *Les révoltés de la Bounty* de Jules Verne.

Le feu crépitait PUIC PUIC. Les flammes léchaient les bûches jusqu'en haut du « tipi ». Pour l'instant, Vlad gagnait.

Gustave fixait l'horizon, les sourcils remplis d'émotion :

—La Bounty, *navire de deux cent quinze tonneaux monté par quarante-six hommes, avait quitté Spithead, le 23 décembre 1787, sous le commandement...*

—Hep ! a coupé Vlad. 1797, pas 1787.

—Nenni ! Je connais chaque détail par cœur.

—Moi aussi ! Je le lisais souvent à la petite école ce livre-là.

L'école ??? L'ÉCOLE !!! WHOAWH !
C'était comme si mon grand-père venait
d'actionner une machine à voyager dans
le temps en prononçant le mot «école». Je
me revoyais là-bas. Je m'imaginais partout : en classe, dans les corridors, dans
la cour, à la cafétéria, etc. Même que j'avais
envie de m'y promener pour vrai. Je te le
jure. Je m'en ennuyais ! Puis, si j'avais été
à l'école en ce moment, j'aurais trouvé la
bonne réponse en un clin d'œil. Il y a des
tas de livres de Jules Verne sur les éta-
gères. J'aurais su la date exacte : 1787 ou
1797. Et surtout, j'aurais revu mes amis.
En tout cas, William et moi, on ne s'obstinait jamais comme Vlad et Gustave.

C'est sorti tout seul :

—Je veux retourner à l'école !

Les deux hommes se sont tournés
vers moi, surpris.

Je ne savais pas trop comment expliquer ce que je ressentais.

—D'accord, peut-être pas MON école.
Mais une autre. N'importe laquelle. Une
école avec des élèves, des récréations, des
sorties en autobus jaunes, des ballons-
poires, des profs pas toujours drôles, même
des devoirs.

Le visage de mon grand-père s'est
transformé en feu de joie.

— Yihaaa ! Tu l'as trouvé notre nouvelle cachette, Lulu ! Pourquoi je n'y ai pas pensé avant ?! Ronald, mon ancien collègue !

Ce prénom me disait quelque chose. Vlad réfléchissait tout haut :

— Il travaille à la Ruche Ensoleillée ; l'école de l'autre côté de la voie ferrée. Il est le concierge. Il pourrait nous présenter au directeur. On aurait juste à t'inscrire et à trouver un autre refuge dans ce coin-là…

Un méga PSHHHH ! a enterré la voix de mon grand-père. Gustave venait de lancer un seau d'eau sur les flammes.

— Tu as perdu, Bert Saint-Amour ! Le feu s'est éteint avant la fin de l'histoire.

Vlad avait retrouvé son entrain. Mais son ami avait perdu le sien pour vrai !

— C'est trop risqué d'aller habiter ailleurs, nous a-t-il avertis.

— Autant que de rester ici, a répondu Vlad.

Gustave savait que mon grand-père avait raison. Surtout depuis la visite de l'inconnu. Alors, il cherchait d'autres arguments. N'importe lesquels. Et c'est à ce moment-là qu'il a déclaré quelque chose de complètement bizz :

—Puis euh !... l'école c'est pas bon pour les enfants !

—Hein ?

—Han ?

—Je l'ai lu dans les journaux. Les enseignants n'enseignent plus rien. Les jeunes font tout ce qu'ils veulent, maintenant. Et ils deviennent des p'tites natures !

—C'est faux ! on a protesté en chœur Vlad et moi.

—C'est vrai ! La preuve : il n'y a pas plus sensible que le nez de Lucas.

—Oui, mais c'est vrai que ça pue ici, a lancé mon grand-père à ma défense.

—C'est faux !

—Vrai !

AHRGHHHHH... J'ai failli enfoncer les bouchons d'oreilles dans mes oreilles ! En fait, je pense que Gustave exagérait parce qu'il ne voulait pas qu'on parte. Il avait peur de se retrouver tout seul encore une fois. Rien à voir avec l'école, j'en suis certain. Les adultes sont débiles !

9

L'INTRUS

26 janvier

BRRRR...,

J'en ai encore des frissons pendant que je t'écris. Ce matin, je traînais au lit quand Clochette s'est mise à grogner et à japper dans la cuisine. Comme l'autre jour, la fois où elle m'avait pris pour un voleur.

Je me suis levé pour aller voir ce qui se passait. Normalement, Gustave ou Vlad lui aurait dit de se taire. Là, il n'y avait personne. Sauf moi, et la chienne qui aboyait comme un loup devant la porte qui mène dehors. Cette fois-ci, je le sentais. Monsieur Sansdétour essayait d'entrer sans cogner.

Justement, la poignée s'est mise à tourner. « Qu'est-ce que je fais maintenant ? » je me répétais, complètement figé de la tête aux pieds. Une chance. Clochette relevait ses lèvres sur ses crocs pointus, prête à mordre GRRR...

Soudain, la porte a commencé à s'ouvrir. Traversé par un éclair d'adrénaline TZITT ! j'ai défigé d'un coup. J'ai vite attrapé le poêlon sur le dessus de la cuisinière. Et je me suis caché en petit bonhomme derrière le comptoir. Dès que j'ai aperçu l'ombre d'un mini bout de poil de pantalon, j'ai frappé le plus fort que j'ai pu : PINNGGG !!!

L'intrus criait comme une chanteuse d'opéra AHHIIIOOOO !!! D'un seul geste, il a retiré ses lunettes fumées, son chapeau, son foulard, et s'est débarrassé de son manteau qu'il portait sens dessus dessous. J'ai crié à mon tour :

—AHHHHHHH !!!

L'intrus, c'était Vlad !!! Il gémissait en se tenant la jambe.

—Je ne voulais pas qu'on me reconnaisse. Bien, ça a fonctionné… Ayoye !

—Je m'excuse Vlad. Beaucoup. Je pensais que t'étais un voleur ou monsieur… Je m'excu…

—Arrête, je sais que t'as pas fait exprès. Oublie ça.

—Oui, mais je…

—Chut ! Lulu. Au contraire. Tu t'es bien défendu. J'aurais dû te laisser une note sur le comptoir. C'est tout.

Re-devenue un gros toutou gentil, Clochette léchait le visage de mon grand-père.

—C'est beau, Clo-clo. Gaspille pas ta salive sur mes joues. Ay…

Vlad grimaçait en étirant sa jambe.

—J'ai une journée chargée aujour-
d'hui. Il faut que je retrouve Ronald, mon
ami concierge, que je t'inscrive à la Ruche
Ensoleillée et que je trouve un autre
endroit où habiter. Ay… Je suis parti tellement vite sur le piton que j'ai oublié de
prendre ton certificat de naissance dans
la boîte de documents importants. J'étais
revenu le chercher. Parce que, pas de
papier, pas d'inscription !

Une chose me chicotait encore.

—Mais pourquoi tu t'es déguisé ?

—Au cas où je tomberais sur monsieur Sansregrets.

Ouais ! évidemment. Je me sentais
vraiment dindon de l'avoir frappé avec le
poêlon.

Vlad fouillait dans la boîte de documents importants d'une main et se mas-
sait le genou de l'autre. Ce qui m'a donné
une super idée. J'ai couru dehors et j'ai
détaché un glaçon qui pendait du toit de
la maison. Puis, je l'ai déposé sur sa
jambe pour le soulager.

Gustave est arrivé du magasin au
même moment avec une douzaine d'œufs
et un pot de cornichons. Dès qu'il a vu
Vlad, il est monté sur ses grands che-
vaux.

—Retire le glaçon tout de suite !
Quand on a mal, on applique de la chaleur.

—Je ne me suis pas étiré un muscle.
J'ai reçu un méchant coup sur le genou,
s'est défendu mon grand-père.

—Exactement ! Il faut l'entourer
d'une compresse chaude.

—Jamais. Ça prend du froid pour que
ça n'enfle pas.

—Non, du chaud !

—Du froid !

—Du chaud !

—ÇA SUFFIT, VOUS DEUX !!

Ma tête tournait, tellement j'avais
vidé mes poumons en hurlant. Eux, ils
restaient là, muets, comme des haut-par-
leurs débranchés. On aurait dit qu'ils
n'avaient jamais réalisé qu'ils s'obsti-
naient TOUT LE TEMPS ! Ils n'étaient
même pas fâchés que je leur aie crié
après. Juste hyper méga étonnés de leur
propre comportement.

Plus tard, Vlad a avalé une grosse omelette aux cornichons. Il a vérifié que sa

jambe pliait comme avant. Il a remis son « déguisement » et il est parti en direction de la voie ferrée. Quant à moi, je me suis accoudé à la fenêtre et je l'ai regardé partir.

Avant de traverser la barrière, mon grand-père s'est arrêté. Il s'est tourné vers moi et il m'a fait un signe de la main. Je lui ai fait bye-bye à mon tour. Et une chose étrange s'est produite : mon cœur s'est serré dans ma poitrine comme quand je descends une côte de montagnes russes. Je ne sais pas pourquoi.

27 janvier

Allô…

Vlad est rentré tard hier soir. Je me suis endormi avant d'avoir pu lui demander s'il m'avait inscrit à l'école. J'aurais dû me forcer à garder les yeux ouverts. J'aurais dû l'attendre au pied de son lit. J'aurais dû…

Gustave m'a réveillé ce matin en me secouant par le col de pyjama.

— Lève-toi ! Ton grand-père est parti !

— Parti… Sorti ? C'est pas grave. Il va revenir. Laisse-moi dormir, s'il te plaît.

Rien à faire. Il me tirait en bas du lit.

— Tu ne l'as pas entendu ? Bert beuglait comme un orignal : « Saluuuu…! » ou « Sinluuuu…! » ou peut-être « Saint-Truuuuc…! ». Et quand je suis arrivé dans sa chambre, PFUIT, volatilisé.

Saint-truuuuc ?!!! Ça ressemblait trop à « Saint-Luc ». Pas de doute, mon grand-père était dans sa bulle imaginaire.

J'ai fouillé partout en commençant par la baignoire. J'ai inspecté tous les recoins, tous les garde-robes. Il ne se tenait même pas en petite boule dans une armoire. Je n'en revenais pas. Vlad avait vraiment disparu.

J'ai regardé par la fenêtre. Des traces fraîches de pas traversaient le terrain en route vers le centre-ville.

Gustave, Clochette et moi, on s'est précipités dehors en suivant la piste comme des chasseurs. Gustave marmonnait sans arrêt :

— Il y a quelque chose qui cloche. Ce n'est pas normal qu'il agisse de cette façon.

Mon grand-père et moi, on n'en parlait jamais aux autres de sa maladie bizarre. Mais là, je n'avais plus le choix. Il fallait que je lui en glisse un mot. J'ai tout raconté à Gustave. Il était surpris, peiné, mais pas découragé.

—Allez ! On va le retrouver notre Bert. Tu l'appelles comment déjà ?

—Vlad.

Au bout d'une heure, on avait fait le tour d'UN SEUL pâté de maisons. C'est parce que Clochette – à cause de son âge (13 ou 16 ans) – se déplaçait à la vitesse d'une limace endormie. Vlad devait être déjà super loin, lui. NULLL !!!

Quand, du coin de l'œil, j'ai aperçu une vieille poussette abandonnée. DING DING DING ! Je venais d'avoir l'idée du siècle. J'ai soulevé la chienne et je l'ai installée dans le carrosse. On est repartis à toute vitesse avec notre « bébé » poilu.

Gustave me regardait, franchement impressionné.

— Je vois que t'as de qui tenir, Lucas ! Tu es une mine de trouvailles, comme ton grand-père. Tu ne seras jamais mal pris dans la vie. C'est important d'être capable de se débrouiller tout seul, tu sais.

Gustave a hésité avant d'ajouter :

— Eum… eum… tu n'es pas une si p'tite nature que ça, finalement.

J'appréciais son compliment. En même temps, cahier, il me virait les émotions à l'envers. Avant, je n'étais jamais mal pris parce que Vlad veillait sur moi. Mais maintenant qu'il avait disparu, je n'aimais pas ça qu'on me dise que j'étais capable de me débrouiller tout seul. En tout cas…

On fonçait dans la gadoue avec la poussette.

— Vas-y ma Cloclo ! encourageait Gustave.

Le museau retroussé, Clochette reniflait le vent. Tandis que j'appelais :

— Bert ?! Vlad ?! C'est Saint-Luc !! J'arrive !!!

On n'a pas retrouvé mon grand-père aujourd'hui. Je souhaite que quelqu'un : un passant, un mendiant ou n'importe qui de gentil se soit occupé de lui en attendant.

Ce qui me console c'est que, d'un moment à l'autre, il va sortir de son espèce de bulle nulle. Il va redevenir lui-même. Et il va retrouver son chemin.

28 janvier

Salut,

Je n'ai pas fermé les oreilles de la nuit. J'attendais Vlad. Je guettais tous les bruits de la maison. À part Clochette qui secouait sa médaille en se grattant et Gustave qui ronflait, je n'ai rien entendu.

Dès qu'on a terminé notre déjeuner, on est repartis tous les trois à la recherche de mon grand-père. Gustave insistait pour revoir les rues d'hier. Moi, je préférais fouiller d'autres quartiers. À chaque panneau « arrêt », à chaque feu de circulation, à chaque coin de rue, on se chicanait pour décider où aller.

— Par ici.

— Non, par là !

— À gauche.

— Non, à droite !

Pfff…

J'ai compris une chose depuis hier. Maintenant que Vlad n'était plus là, Gustave s'obstinait avec moi. Sauf que je n'avais vraiment pas envie de me disputer. Alors, j'ai *zippé* mes lèvres. Je n'ai plus prononcé un seul mot. J'ai juste suivi.

On a marché toute la journée. L'un derrière l'autre. Sans jamais croiser Vlad. Tant pis. J'ai un plan pour demain.

10

PROJET :
VLAD-
RETOUR-À-
LA-MAISON

29 janvier

Aujourd'hui, journal, je voulais chercher à ma façon. Je me suis levé de bonne heure et je suis parti en mission sans Gustave ni Clochette.

J'avais réfléchi à ce que Vlad prévoyait de faire dans sa journée (avant qu'il bascule dans sa bulle). Dans l'ordre, il voulait trouver Ronald, m'inscrire à la Ruche Ensoleillée et nous dénicher un nouveau logement. Le meilleur moyen de trouver des indices, d'après moi, c'était de me mettre dans sa peau. De faire comme lui. Le même trajet. Ouais !

Une fois au premier endroit (la nouvelle école), je me suis faufilé entre deux élèves qui attendaient leurs billets de retard. La secrétaire était super occupée. Elle n'a pas levé les yeux de ses papiers quand je lui ai demandé :

— Est-ce que je peux parler à Ronald, s'il vous plaît ?

— Ronald...? Quel Ronald ?

— Le concierge, j'ai précisé.

— Ronald LaBrosse ?

Je ne connaissais pas son nom de famille, mais « LaBrosse », ça me semblait idéal pour un concierge.

— Euh !... oui.

— Ça fait quatre ans qu'il ne travaille plus ici, a dit la secrétaire.

— Vraiment ?!!!

— On peut appeler Yvon, si tu veux. Tu viens signaler un dégât, c'est ça ?

— Non non, je voulais juste… c'est correct. Merci.

Ahrghhhhh… ça changeait tout !!! Pas de Ronald = pas de Vlad !

J'ai essayé d'imaginer ce que mon grand-père avait fait en apprenant la nouvelle. Il était parti ou resté ? Il avait peut-être demandé à parler au directeur en personne. Peu importe, la secrétaire se souvenait sûrement de lui. Si elle avait levé le nez de ses papiers…

— Madame ? Est-ce que vous vous souvenez d'un vieux monsieur qui est venu inscrire son petit-fils, avant-avant-hier ?

La femme a soulevé ses yeux par dessus ses lunettes :

— Mon pauvre chou. Je travaille les jeudis et vendredis. Les autres jours c'est une autre madame qui me remplace. Reviens lundi prochain. Tu lui poseras la question à elle. Désolée, mon chou.

Trop stupidement POCHE ! En passant, je déteste me faire appeler « mon chou », surtout si c'est pour m'apprendre une mauvaise nouvelle. En tout cas. Retour à la case départ. Ne récoltez pas d'indices.

Mais comme je connaissais mon grand-père, il n'abandonnait jamais. Qu'il ait réussi à m'inscrire ou non, j'étais convaincu qu'il avait quand même continué sa route et cherché un logement.

J'ai quitté la Ruche Débile et j'ai parcouru toutes les rues avoisinantes. En tout, j'ai croisé cinq immeubles qui affichaient « À louer ». J'ai sonné à chaque endroit pour vérifier si Vlad les avait visités. Sauf que, dès que les responsables entendaient ma voix d'enfant à l'interphone, ils raccrochaient CLONK ! Ils croyaient probablement que je leur jouais un tour.

Je sortais d'un vestibule quand une jeune locataire (qui m'avait entendu) m'a arrêté.

— Hey, je pense que je l'ai vu ton pépé.

— Où ?! Quand ça ?!

— Hier avant-midi. Il y avait un drôle de bonhomme qui rôdait par ici.

Elle cherchait ses clés dans son sac à dos.

— C'est tout ? Ça pourrait être n'importe qui, j'ai dit.

— Bien, il était super vieux, ridé, maigre. Ah ! oui, il roulait ses gros yeux en chantant des espèces de chansons de cowboy.

— Yihaaa !!!

— C'est lui ?! elle a dit, contente pour moi.

Elle pointait en direction du Vieux-Montréal.

— Il est parti par là !

Enfin, je savais par où aller !!! J'ai remercié la fille au moins douze fois. Un peu plus, je l'embrassais. Quand même pas !

J'ai épluché un paquet de boulevards, des ruelles et plein de recoins. Il faisait – 20 degrés, mais je ne sentais pas le froid tellement je me concentrais. Sauf que j'avais faim en titi.

J'ai marché jusqu'au pont Jacques-Cartier sans jamais apercevoir le moindre petit bout de Vlad. Il faut dire que, parfois, la visibilité était nulle. La neige tourbillonnait comme un nuage de moustiques blancs autour de moi. À un moment donné, je me suis accroupi derrière un pilier de ciment pour me protéger. Puis le vent est tombé. Ouf !

En jetant un coup d'œil à l'entour, j'ai vu un doigt de gant qui dépassait d'une flaque d'eau gelée. Mon cœur s'est mis à résonner jusqu'au bout de ma tuque à pompon. J'ai couru et j'ai tiré sur le doigt de laine de toutes mes forces SCRIIIT-CHH ! Je l'ai eu ! Je tenais le gant au complet. J'ai reconnu le gros fil noir entre les mailles. Comme je m'en doutais, c'était le gant de Vlad. Celui qu'il avait recousu l'autre jour. Mon grand-père ne devait pas être loin. HOURRA !!!

Sauf que mon ventre a recommencé à gargouiller. J'avais tellement envie de manger que ça me donnait la nausée. J'ai viré mes poches à l'envers. Méchant trésor. J'ai retrouvé les deux 25 cents empruntés à Vlad. Avec mon gros 50 cents je pouvais peut-être, hum… m'acheter cinq bonbons. Il m'en aurait fallu 250 000 pour calmer mon appétit.

Je zigzaguais entre les trous d'eau glacée. Des bols de spaghettis à l'omelette dansaient dans ma tête. Je n'avais même pas retrouvé Vlad. Ni son deuxième gant.

J'ai atterri en face d'une station de métro. Juste à côté de l'entrée, il y avait un kiosque extérieur recouvert d'un rideau de plastique transparent. Je me suis avancé pour regarder en dedans. J'ai vu des fruits rouges qui brillaient, des bouteilles de sirop d'érable doré et des lingots de tire éponge sucrée. MMMM… Le vendeur frottait ses mains devant sa chaufferette. GRRROOOBBLEBLEBLE faisait mon ventre jusque dans ma gorge. Et tout coûtait plus cher que 50 cents ! Pfff...

J'ai tourné mon cerveau à *off* et j'ai tassé le mur de plastique. J'ai allongé mon bras et j'ai attrapé une pomme. Ensuite, je l'ai laissé tomber dans ma poche, ploup. Facile. De l'autre main, j'enlignais un rectangle de tire quand BAMMM ! J'ai reçu un coup sur l'épaule. Une voix sévère m'a averti :

— Songe au geste que tu es en train de poser, Lucas !

Debout derrière moi, monsieur Sans-humour me jugeait avec ses yeux mauvais.

—J'allais payer, j'ai menti pour me défendre.

J'ai remis la pomme à sa place. Puis j'ai pensé « bye-bye monsieur Sansbruit » en effectuant une feinte. Je n'allais quand même pas perdre mon temps avec lui ! J'ai réussi à me dégager et je suis parti en flèche. Mais au bout de quelques mètres, mon niveau d'énergie a chuté. Comme des piles qui faiblissent ZIOUOUOU… monsieur Sansrunningshoes m'a rattrapé sans courir.

—Ça suffit, maintenant ! il a grogné entre ses dents.

Il ne me tenait pas fort, mais j'étais trop épuisé pour lutter. Son visage s'est adouci, bizarrement. Comme la fois où il était venu me rencontrer à l'école.

—Tu as faim ? il m'a demandé en relâchant mon bras.

Je n'ai pas eu besoin de répondre. Mes yeux étaient aussi creux que mon estomac.

—D'accord. Je vais te donner à manger. Mais tu vas rester avec moi. Compris ?!

Plus poche que poche.

Assis sur un banc de centre commercial, j'ai avalé la moitié de son sandwich en quatre bouchées. J'aurais dévoré un pain au complet. Et une pizza aussi.

Monsieur Sansmoutarde n'arrêtait pas de me poser des questions. Okay, il avait partagé son dîner avec moi, mais je n'allais quand même pas répondre à mon ennemi juré ! Il a osé me demander :

— Où se trouve ton grand-papa en ce moment ?

Sa question m'a piqué comme une épée qui transperce une blessure qui fait déjà mal. Elle m'a mis en furie. J'ai explosé en titi.

— Je le sais pas ! Si on vivait encore chez nous, comme avant, dans notre appartement, je le saurais par exemple ! Arrêtez de nous coller comme une sangsue ! C'est stressant ! Laissez-nous tranquilles !

Monsieur Sansréponse a reculé un brin. Je ne m'entendais plus crier.

— Puis... votre espèce de lettre « d'expert »... puis... vos mots compliqués rien que pour me mélanger...! Vous avez pas

104

le droit de décider pour nous ! Vous voulez nous séparer ! Bien nous, on veut pas ! Pourquoi vous faites ça, han ?!

Monsieur Sansvoix a avalé sa salive avant de s'expliquer :

— Je te l'accorde, Lucas. À l'occasion, je me suis peut-être mal exprimé. Je suis probablement trop à la lettre ce que j'ai appris dans mes manuels universitaires. J'ai tellement peur de me tromper. Mais une chose est certaine, malgré ce que tu penses, tout ce que je souhaite, c'est vous aider.

— On est capables de se débrouiller tout seuls !

— C'est vrai que ton degré de maturité excède, euh ! Je veux dire… c'est vrai que tu es super débrouillard pour un garçon de 10 ans. Sauf que Bert, lui, ne sera plus autonome très longtemps.

Je ne pouvais pas le contredire. Vlad vivait sur son autre planète depuis deux jours. Monsieur Sansriend'autre-à-faire m'a regardé en essayant de sourire naturellement :

— Tu peux m'appeler Renaud si tu veux.

Je ne l'appelais même pas « Sansregrets » la plupart du temps. Son petit nom, il pouvait se le garder pour lui.

Il s'est approché de moi, un peu mal à l'aise. Puis il m'a parlé très doucement :

— Admettons… Juste admettons que vous n'habitez plus ensemble Bert et toi…

J'ai lâché un soupir long comme l'hiver. Il a poursuivi quand même :

— Vous allez continuer à vous voir. Avec ma permission, tu pourras le visiter aussi souvent que tu le désires. C'est loin d'être fini, Lucas.

Il attendait ma réaction, silencieux. Pendant ce temps-là, j'imaginais Vlad en centre d'accueil (j'en connais pas, mais ça doit ressembler à une sorte d'hôtel-hôpital). Je le voyais en train de lire dans sa chambre, de taquiner ses voisins ou de présenter un spectacle de magie à Noël (avec moi comme assistant !). Il ne s'ennuierait peut-être pas tant que ça, finalement…

Monsieur Sansregrets devait lire dans mes pensées. Il m'a demandé, vraiment gentiment :

— Il est où, Bert ?

— Je le sais pas, j'ai avoué. Je l'ai perdu.

11

À VOS ORDRES !
UN,
DEUX,
UN,
DEUX,
UN,
DEUX,
UN...

4 février

Bonjour, mon journal !

Je suis content d'avoir quelques minutes pour t'écrire, enfin. Ce n'est pas évident depuis que je vis chez les Grosleau. Eh ! oui, j'ai accepté d'aller habiter dans la « superfamille d'accueil » de monsieur Sansregrets. Mais avant que je dise « okay », il m'a promis qu'il ferait TOUT pour retrouver Vlad.

Chez les Grosleau, il y a un tas de règlements. Par exemple : on prend sa douche avant le déjeuner et pas après. Tout est calculé. J'ai droit à deux collations et à UN dessert par jour, sans exception. Tout est ordonné : le lundi, je porte mon pantalon brun et mon haut beige. Le mardi, mes jeans et mon haut bleu foncé. Le mercredi, mon pantalon kaki et mon t-shirt orange « *Peace and Love* », etc. Et c'est la même histoire qui recommence chaque semaine.

Les deux parents et les cinq enfants Grosleau sont toujours à l'heure, de bonne humeur, polis et organisés. Il y a des horloges sur tous les murs. Ils chantent en travaillant. On dirait l'armée du bonheur. Ils n'arrêtent pas de sourire. Même que des fois ça me fait peur.

C'est très différent de la vie chez Gustave où les journées duraient des années. Ici, je suis très occupé. Mais j'ai quand même le temps de m'ennuyer de Vlad en titi ! Avec mon grand-père, on ne savait jamais ce qui allait se passer d'avance. On n'avait pas d'horaire. Juste nous deux.

Il ne m'est arrivé qu'une seule bonne chose depuis que Renaud m'a trouvé. Deux, en fait : j'ai revu mon ami William et je suis retourné à l'école. Là, au moins, c'est la vie comme avant.

Je souh…

BIP BIP BIP ! C'est le son de la minuterie qui m'interrompt, cahier.

Je dois te laisser. Mon temps libre est écoulé. Il faut que j'aille me coucher. Pffff…

5 février

Bon, je vais me dépêcher. Au cas où tu ne crois pas que je n'ai plus le temps de t'écrire, voici l'horaire de chaque jour de la semaine « Grosleau ».

6h 30 Lever
6h 32 Pipi
6h 35 Douche
6h 45 Habillage
6h 55 Déjeuner
7h 15 Brossage des dents
7h 18 Ménage
8h 00 Départ pour l'école
8h 15 École, ouf…
15h 35 Départ de l'école
15h 50 Retour à la maison
15h 52 Pipi, même si on n'a pas envie
15h 55 Lavage des mains
15h 58 Devoirs et leçons
17h 00 Souper
17h 30 Dessert
17h 35 Vaisselle
18h 00 Télé, ordinateur ou lecture
19h 30 Pyjama
19h 40 Brossage des dents
19h 43 Soie dentaire
19h 48 Dernier pipi
19h 51 Lavage des mains
19h 54 Dire « bonne nuit » à tout le monde
20h 00 Temps libre. Yé ! Moment où je t'écris.
20h 15 Au lit !

BIP BIP BIP ! Mon temps libre est terminé.

Bonne nuit.

Ah oui ! Les samedis et les dimanches, l'école est remplacée par l'épicerie en famille, le lave-auto en famille, une session de marche rapide en famille et une partie de jeu de société (en famille, évidemment).
Bonne nuit, prise deux. CLAC !

6 février

Même chose qu'hier.

7 février

Même chose qu'hier. À part le bébé Grosleau qui s'est étouffé en avalant son dessert. Heureusement, il a fini par recracher son morceau de banane coupé trop gros. Sauf qu'on a commencé la vaisselle avec huit minutes de retard ! Il a fallu pédaler (essuyer) méga vite pour rattraper le temps perdu. Pour aller se coucher à l'heure prévue.

8 février

Salut,

J'ai manqué la visite au lave-auto du samedi parce que j'ai reçu un appel de ma mère. Elle ne connaît pas l'horaire débile des Grosleau, alors elle a appelé n'importe quand. Même si je ne la voyais pas, je l'entendais sourire au téléphone. Elle m'a dit qu'elle avait mis de l'ordre dans sa tête pour de bon et qu'elle n'était plus triste la plupart du temps. Elle m'a demandé comment ça allait à l'école. Si j'aimais ma famille d'accueil. Si je portais les cheveux longs. Je répondais par un mot ou deux. Je n'étais pas habitué à lui parler un autre jour que le 31 décembre. Puis elle m'a lancé une bombe. Elle m'a dit qu'elle souhaitait me voir le plus tôt possible. À condition que je le désire aussi, bien entendu. Je suis resté sans rien dire pendant au moins une éternité. Je ne voulais pas la décevoir. Je sentais que je ne pouvais pas répondre « non ». C'est juste que ça faisait tellement longtemps... Six ans que je ne l'avais pas vue. J'ai été surpris par sa demande. J'hésitais. Le silence commençait à peser aussi lourd qu'un éléphant. Alors, j'ai essayé quelque chose.

— Eum… c'est que… euh !… je… est-ce que je peux y penser ?

— Bien sûr, mon ange. Prends ton temps, elle a dit d'une voix lisse.

Fiou !!! Elle a ajouté d'autres mots que j'ai oubliés. Et on a raccroché.

J'essayais d'imaginer de quoi elle avait l'air, ma mère. J'avais un souvenir vague. Une image : une tête blonde, des yeux dans la graisse de *binnes* et un petit sourire qui voulait pas partir. Même quand elle pleurait.

Les Grosleau sont revenus du lave-auto prêts pour la marche rapide en famille. Je crois que monsieur Grosleau a voulu me faire plaisir lorsqu'il m'a annoncé qu'on irait se promener dans les rues de mon ancien quartier.

BIP BIP BIP !

Ahrghhhhhh ! Espèce de %-?(#$\)* de minuterie ! C'est l'heure d'éteindre la lumière, mais je ne t'ai pas tout raconté.

CLIC ! Ça y est. J'ai allumé ma lampe de poche. Alors… Ah ! oui, mon ancien quartier… On filait comme un troupeau de dindes avec le feu aux fesses. Vite, vite, vite. Glou glou, glou glou. On est passés devant mon ex-fruiterie. On a emprunté

114

les rues que je prenais pour aller à l'école. On a traversé le parc de *skate*. Et pendant qu'on trottait, monsieur Grosleau commentait le paysage, l'âge des maisons, l'histoire des environs. Ça m'énervait pas à peu près ! J'aurais dû m'amuser, j'imagine. Au contraire. À chaque feu de circulation, à chaque devanture de magasin, à chaque arbre. je me revoyais avec Vlad. Il faisait partie de tout ce qui existait à l'entour de moi. D'ailleurs, je me suis demandé pourquoi Renaud ne l'avait pas encore retrouvé.

Tous ensemble, on a fait une pause au coin de mon ancienne rue. J'ai revu mon ancien logement. J'avais presque envie de pleurer. Quand, du coin de mon œil mouillé, j'ai remarqué un camion de la ville. Des employés étaient occupés à travailler. Je suis sorti du rang et je me suis avancé. Un travailleur fort comme un bœuf remplissait un nid-de-poule. NOTRE NID-DE-POULE à Vlad et à moi ! Je me suis approché pour parler à l'ouvrier :

— Pourquoi vous remplissez les trous ?

L'homme n'a pas réagi. J'ai répété ma question tandis que les autres employés riaient de moi. Ça ne faisait rien. Je restais là.

— Monsieur ! S'il vous plaît !

115

L'ouvrier m'a enfin regardé.

— Remplissez pas notre nid-de-poule.
Il est à mon grand-père et à moi, celui-là.

L'homme me fixait, l'air de dire « de
quoi tu parles ? ». Il a haussé les épaules
et s'est retourné sans prononcer un mot.
Puis, il a vidé l'asphalte noir collant dans
notre nid-de-poule favori.

J'avoue, j'ai un peu perdu la boule. Je
donnais des coups de pied dans la neige
en criant :

— Arrêtez !! Qu'est-ce qui va arriver
si vous enlevez tous les trous, han ?! On
ne pourra plus jouer, Vlad et moi !

Monsieur Grosleau m'a pris par le bras et il m'a chuchoté :

— Pardon, Lucas. On n'aurait pas dû t'amener par ici. Viens, on s'en va.

On a marché en silence jusqu'à la maison. J'étais FRU au MAX !!! Contre la ville, ses employés bouchés, les automobilistes qui veulent des rues sans trous, la famille Grosleau, la maladie de Vlad, ma crise de bébé débile, la vie quoi !

Bonne nuit, cahier. Une chance que je t'ai.

9 février

Aujourd'hui, j'ai accompli toutes mes tâches rapido presto. Je voulais avoir des trous dans mon horaire. Autant que dans le fromage gruyère. Parce qu'à chaque moment libre, j'en profitais pour appeler Renaud sur son cellulaire. Il n'était jamais bête. Il me redisait patiemment ce qu'il m'avait déjà répété dix fois. Tous les intervenants : les travailleurs de rue, les policiers, les bénévoles, tout le monde possédait la photo de Bert. Mais pour l'instant, pas de nouvelles.

Dire qu'il n'y a pas si longtemps, je fuyais monsieur Sansregrets comme une

tornade dans un film de catastrophes.
Maintenant, je lui téléphone toutes les
cinq minutes !

12

Vieux
Léger
Adorable
Dépeigné

10 février

En pleine période « devoirs », monsieur Grosleau a crié mon nom de la cuisine. Je suis allé voir. Il me montrait le combiné du téléphone.

— C'est pour toi ! il a chantonné, les yeux pétillants.

Je me suis assis sur la rampe d'escalier et j'ai glissé jusqu'en bas pour aller plus vite.

— Oui, allô ?!

Renaud m'a annoncé que son équipe avait retrouvé mon grand-père.

YAHOU !!! YIPIYA YA YA ! YIPIYÉ YÉ YÉ ! YIPIYA YIPIYA YIPIYÉ !

J'ai improvisé une danse de joueur de football qui vient de compter un touché. Je me sentais léger comme de la crème fouettée. YÉÉÉ !!!

Renaud était content lui aussi, mais on aurait dit qu'il se retenait un peu de célébrer. Il m'a expliqué que Vlad avait vécu dehors dans un parc du centre-ville. Les ambulanciers l'avaient sorti blessé et gelé d'une espèce de cabane en carton. Heureusement, il récupérait à l'hôpital en ce moment. OUF ! en titi.

Je voulais le voir tout de suite. Ça faisait trop longtemps que je m'en ennuyais. J'ai supplié monsieur Grosleau de me laisser aller le visiter. Je lui ai même fait mes yeux de guimauve ramollie. Ça a fonctionné avec lui aussi. Il a accepté de changer son horaire et de me conduire à l'hôpital. Youpi !!!

J'ai eu tout un choc en arrivant. Sur la façade, il était écrit : HÔPITAL SAINT-LUC. Vlad se faisait soigner à l'hôpital Saint-Luc ? Saint-Luc ?! Le nom qu'il me donnait quand il s'enfermait dans sa bulle. Drôle de coïncidence. Drôle et pas drôle en même temps…

Monsieur Grosleau insistait pour m'accompagner jusqu'à la chambre. Je lui ai dit que ça ne me tentait vraiment pas. Je voulais Vlad pour moi tout seul. En tout cas, la première fois. Comme il manquait de temps, monsieur Grosleau a accepté.

— D'accord. Je passerai te chercher à la fin des visites, à neuf heures, pile !

— Je ne vous ferai pas attendre, promis.

J'ai foncé vers le kiosque d'information et j'ai demandé au gardien de sécurité où se trouvait la chambre de monsieur Bert Saint-Amour. Il m'a regardé de la tête aux pieds.

— T'as quel âge, toi ?

Je sentais que répondre 10 ans, ça ne l'impressionnerait pas tellement.

— Euh… pourquoi ? Il faut absolument que je voie mon grand-père !

— Le dernier jeune qui m'a dit ça a causé pour 30 000 dollars de dégâts dans la buanderie.

— Mais là… je vous jure que…

— Présente-toi avec un adulte ! a tranché l'homme en uniforme.

Dire que je venais de renvoyer monsieur Grosleau… Je n'avais pas le choix. Je devais le rappeler. Si je lui expliquais la situation, il accepterait peut-être de faire demi-tour. Je me suis rué sur un téléphone public. J'ai trouvé mes 50 cents d'urgence et j'ai composé une fois, cinq fois, 10 fois, 20 fois ! Puis, j'ai été frappé comme par un éclair. On était JEUDI SOIR ! à l'heure où monsieur Grosleau passait chez le barbier. La tête penchée dans le lavabo, il ne répondrait pas. C'est certain. Ahrghhhhh…

Il fallait que je voie Vlad coûte que coûte. C'est tout ce que je savais. J'ai jeté un coup d'œil au kiosque d'information. Eh oui… le gardien me fixait toujours sans cligner des yeux. Tant pis. Il y avait sûrement 35 autres solutions. Je suis sorti de là pour réfléchir tranquille.

Au moment où j'ai vu la cabine téléphonique de l'autre côté de la rue, je n'ai pas eu une, mais deux bonnes idées ! D'abord, j'ai repris mes 50 sous et j'ai appelé à l'hôpital. Le gardien-qui-met-tous-les-jeunes-dans-le-même-panier a répondu. Je l'ai reconnu. En imitant la voix d'une vieille grand-mère enrhumée, je lui ai demandé le numéro de la chambre de mon « mari » Bert Saint-Amour.

Silence total à l'autre bout du fil.

« Mauvais signe, Lulu » j'ai pensé. Lui aussi avait sans doute reconnu ma voix. Il allait sûrement pointer son gros nez dehors d'une seconde à l'autre. Puis j'ai entendu un gros KE-CLONK.

— Ho allô, allô ? Excusez, l'appareil m'a glissé des mains. Madame ?

— Whouiii, j'ai chevroté.

— Chambre 3419, au troisième étage.

BINGO !

Il ne me restait qu'à trouver une autre porte d'entrée. Sans agent de sécurité cette fois-ci. Ouais… Pas évident. C'est à ce moment-là que j'ai entendu un petit cri aigu. Une femme haut perchée dans ses bottes à talons aiguilles, les bras chargés de cadeaux pour bébés naissants,

124

tentait de marcher sur une plaque de glace sans se casser la figure.

— Je peux vous aider avec vos paquets ? Je vais au troisième étage. Vous ?

— Au sixième ! Ah… merci ! T'es un amour !

Je crois plutôt que c'est elle qui m'a donné un sérieux coup de main. Ça m'a permis de traverser le hall d'entrée de l'hôpital caché derrière un immense cadeau rose bonbon pendant que le gardien regardait à l'extérieur, l'air de chercher quelqu'un…

Après un détour par la chambre de la maman qui venait d'accoucher, j'ai filé au troisième en essayant de passer inaperçu. Un petit écriteau indiquait que la chambre 3419 se trouvait à l'autre bout du corridor. J'ai longé le mur en croisant mes doigts et en fixant le plancher. Les employés étaient tellement occupés que personne ne m'a pris pour un vandale. Fiou…

ENFIN ! j'ai poussé la porte. Vlad était là, couché, et il regardait la télé ! Lui ?!!!

— Vlad ! j'ai dit en chuchotant.

Il a tourné ses yeux vers moi. Rien que ses yeux. Parce que sa tête semblait vissée dans son oreiller.

Son voisin de chambre ne m'avait pas entendu. Il ronflait le derrière à l'air écrasé contre les barreaux du lit. WOUA-SHHH! Les fesses des adultes, c'est vraiment ce qu'il y a de plus laid au monde !!!

J'ai plongé sur Vlad et je l'ai serré le plus fort que j'ai pu. Il souriait et il toussait en même temps. Je crois qu'il me trouvait trop pesant. Alors, je me suis allongé à côté de lui pour ne pas l'étouffer. Il avait changé en titi. On aurait dit un squelette habillé avec de la peau. Il avait l'air aussi fragile qu'une coquille d'œuf. Ses cheveux étaient gras et ébouriffés. En deux semaines, il avait vieilli de 100 ans. J'ai fait semblant de ne pas remarquer qu'il avait changé. Vlad a fait semblant de ne pas remarquer que je faisais semblant, je crois.

— Toi, Bert Saint-Amour, tu regardes la télé ?

— Ça me fait oublier que j'ai mal partout, il a soufflé.

À l'écran, on voyait une cage de verre remplie de guêpes avec un gars vivant à l'intérieur. L'homme devait vaincre sa peur et demeurer avec les bestioles le plus longtemps possible pour gagner 5 000 $. Je raffolais de ce genre d'émission d'habitude. Mais là, je trouvais ça méga stupide.

— On change de poste ?

— S'il te plaît, a soupiré Vlad.

J'ai zappé jusqu'à un canal spécial pour les ados. Je me suis tourné vers mon grand-père pour savoir ce qu'il en pensait. Il m'a souri, ce qui signifiait « okay ». Ensemble, on a regardé tout plein de bandes dessinées et des émissions avec de vrais jeunes acteurs. Après un train d'annonces, une nouvelle série a débuté. Elle s'intitulait *Muffy, la faucheuse de momies*. C'était comique et épeurant en même temps. Soudain, Vlad m'a donné un coup de coude que j'ai à peine senti. Il m'a dit de regarder plus près. Je me suis approché de la télé. WHOAWH ! Je n'en revenais pas. Mon père ! Il jouait le rôle d'une momie qui déroulait ses bandelettes. Et Vlad l'avait reconnu !

Je trouvais qu'il était hyper convaincant, mon père. Ça m'a rendu fier. En plus, comme il travaillait, il allait sûrement m'appeler bientôt. YÉÉÉ !!!

À la fin de l'émission, on a éteint. Vlad fanait à vue d'œil. Je me suis assis devant lui. Il a pris ma main dans la sienne. J'ai revu son gant de laine dans ma tête. J'ai réalisé à quel point il avait dû geler des doigts.

— Comment tu vas, mon Lucas en chocolat ?

128

Ça faisait mille ans qu'il ne m'avait pas appelé comme ça. J'ai ri. Tout allait bien en titi depuis qu'il était à côté de moi.

— Merci, Lulu, il m'a lancé, heureux.

« Merci pour quoi ? » j'ai pensé. Je voulais ajouter quelque chose, mais je ne trouvais pas les mots. On s'est regardés. Et rien qu'avec nos yeux on s'est dit qu'on s'aimait vraiment beaucoup.

Vlad s'est mis à tousser comme si ses poumons voulaient s'échapper de sa gorge. Le visage rouge betterave, il m'a demandé d'aller jeter un coup d'œil par la fenêtre. Il tenait à savoir quel temps il ferait demain ! Tu t'imagines, journal ? Il faisait nuit. Je ne voyais rien. Mais sa toux s'est calmée et il insistait.

Alors, j'ai collé mes mains sur la vitre et autour de mon visage pour couper la réflexion des lumières de la chambre. Mes pupilles se sont adaptées à la noirceur et j'ai aperçu un voile de nuages qui défilaient à toute vitesse. Puis un coup de vent a tout balayé. Et le ciel est apparu tout nu. J'ai plissé mes paupières et j'ai rapproché mes mains. J'ai vu des étoiles qui scintillaient jusqu'à l'autre bout du soir. J'ai annoncé, fort :

— Il va faire beau demain, Vlad !

J'essayais de trouver parmi les étoiles, laquelle brillait le plus quand j'ai entendu un drôle de ronflement. Le voisin aux grosses fesses s'était sans doute réveillé parce que j'avais crié. Je me suis retourné et j'ai vu mon grand-papa immobile dans son lit. Ses yeux grands ouverts fixaient le plafond. J'ai compris ce qui venait de se produire, mais je ne voulais pas le croire. Le soupir étrange, c'était sa dernière respiration à lui, à Vlad. Mon cœur s'est arrêté de battre moi aussi, un instant. Je me suis approché de lui, la peur au milieu du ventre.

— Grand-papa ?

Silence.

Ça arrivait comme ça, la mort ? Sans rien dire ? Je ne savais pas quoi faire. Alors, comme dans les films, j'ai baissé ses paupières roses fripées. J'ai déposé ma tête sur sa poitrine et j'ai fermé mes yeux à mon tour.

Une pensée bizarre m'est venue. Quelque chose que je ne dirais à personne, sauf à toi. Les paupières de mon grand-père me faisaient penser à des toits de voitures décapotables. C'était comme si j'avais baissé la toile sur son regard. Il était maintenant protégé contre la pluie.

13

CROAC,
CROAC

19 février

Cher journal,

Je te raconterai peut-être les funérailles et l'enterrement de Vlad un jour. Pour l'instant, c'est encore embrouillé dans ma tête. Je n'ai pas trop compris les simagrées des adultes. La plupart du temps, je me sentais comme un fantôme dans une pièce de théâtre ultra-plate et hyper triste.

Renaud est venu me chercher cet après-midi. Il m'a amené à son bureau. En fait, à côté, dans une espèce de pièce à débarras. Il y avait des montagnes de vêtements, de petits meubles et de bidules usés. Renaud m'accompagnait dans le labyrinthe de « cossins ».

— Regarde comme il faut, Lucas.

— Qu'est-ce que je cherche ?

— Ce qui est à toi.

Entre deux lampes hawaïennes, j'ai reconnu notre radio. Celle que Vlad écoutait tout le temps à plein volume. J'ai sauté dessus et je l'ai prise dans mes bras. Juste en dessous, j'ai trouvé notre « boîte à documents importants ».

— Tu peux garder ce que tu veux en souvenir, a mentionné Renaud.

J'ai soulevé le couvercle de la boîte en métal. Il y avait une pile de papiers avec la signature de Vlad dessus. Ça ne m'intéressait pas. En tout cas, pas autant que la radio. Puis, entre deux feuilles, je suis tombé sur une photo ; un portrait de grenouille toute habillée. En fait, c'était la photo d'un bébé avec de gros yeux bouffis et un nez écrasé. Probablement un bébé naissant. On pouvait lire quelque chose à l'endos : « LUCAS SAINT-AMOUR-SAINT-AMAND, 28 SEPTEMBRE 2000, HÔPITAL SAINT-LUC ».

C'était MOI, la grenouille ?!!!

Eh ! oui. Je me reconnaissais un petit air de famille. Et ma mère avait accouché à l'hôpital Saint-Luc... Ça expliquait peut-être pourquoi mon grand-père me donnait ce drôle de nom quand il voguait dans sa bulle. Peut-être...

— J'ai ça aussi.

Renaud m'a tendu un gant de laine (une main droite). Il allait avec celui que j'avais arraché de la glace au mois de janvier.

Je suis sorti du débarras avec la radio, la photo et le gant.

Lucas Saint-Amour-Saint-Amand,
28 septembre 2000, hôpital Saint-Luc

LE GROS LOT CHEZ LES GROSLEAU !

2 avril

Salut cahier !

Je ne t'ai pas oublié, tu sais. C'est juste que, depuis la mort de Vlad, je me sens vide parfois.

Ça y est, aujourd'hui je suis de retour !

Il faut dire qu'avant, je n'avais pas grand-chose à t'écrire, mais maintenant c'est différent. Depuis hier, les Grosleau ont accepté de modifier leur horaire. Après la période « vaisselle », j'ai droit (rien que moi) à un « moment souvenir ». Et j'utilise ce temps-là pour parler de Vlad. Pour raconter notre vie ensemble. Pour donner des cours de fabrication d'omelettes. Pour pratiquer des tours de magie (je ne suis pas aussi bon que lui…).

Je les fais beaucoup rire. Ils me disent qu'ils auraient aimé le rencontrer. Ils en redemandent toujours de mes histoires de Bert/Vlad. Ce soir, j'ai même dépassé le temps réglementaire de cinq minutes. WHOAWH !

4 avril

Permission spéciale. Aujourd'hui samedi, j'ai été exempté de lave-auto, de marche rapide et d'épicerie. À la place, je suis allé visiter Gustave et Clochette. Et en prévision des mauvaises odeurs, j'ai emprunté le pince-nez de natation à un des enfants Grosleau.

Gustave était très content de me revoir. Il ne s'est pas obstiné une seule fois avec moi. On a même appris un truc à Clochette. Résultat : elle donne la patte maintenant ! J'ai promis de retourner les voir plus souvent.

En revenant dans ma famille d'accueil, je me suis rendu compte que j'avais oublié le pince-nez dans ma poche de manteau. Tout le temps que j'ai passé chez Gustave, je ne l'ai pas porté. Et je ne m'en étais même pas aperçu !

5 avril

Je ne sais pas si c'est moi qui leur ai donné l'idée. Les Grosleau ont décidé qu'à partir de cette semaine, le dimanche (entre 13 heures et 16 heures), chacun avait droit de faire ce qu'il voulait. Madame Grosleau a déclaré :

—Allez-y ! C'est VOTRE moment. Les seules consignes : ne faites rien de méchant ou de dangereux !

Plus j'y pense, plus je crois que ce n'est pas moi qui leur ai donné l'idée. Je suis sûr qu'ils s'inspirent plutôt de Vlad. De sa liberté. C'est bizarre en titi. La mort de mon grand-père a percé un grand trou dans ma vie. Mais, en même temps, son souvenir m'aide à le remplir. Débile !

10 avril

Renaud avait raison. Les Grosleau, c'est une bonne famille. Je suis content d'habiter chez eux en attendant d'emménager avec ma mère le premier juillet.

Je l'ai revue l'autre jour, ma mère. Je ne t'en ai pas parlé parce que... les mots se bousculent dans ma tête. J'ai un paquet de choses à te dire. Et elles ont besoin de mijoter un peu avant de sortir. En tout cas, ça s'est bien passé.

BIP BIP BIP

Bonne nuit.

11 avril

Cher cahier-cadeau de Noël,

Je me rappelle quand mon grand-père t'a déposé entre mes mains. Tu étais emballé dans un sac de papier brun d'épicerie. Minuit venait de sonner. Il a dit :

— Je crois que ça pourra te servir.

Bien voilà ! Je suis déjà en train d'écrire la dernière page. Dès demain, je commencerai un autre journal. Mais pour toujours, tu seras mon plus précieux souvenir de Vlad !

Brigitte Huppen

Comme vous le savez peut-être, Vlad Tepes, aussi nommé Vlad l'empaleur (ou Dracula) a vraiment existé. Le Vlad de mon roman aussi ! Sauf que le mien était nettement de meilleure humeur et n'aurait jamais fait de mal à une mouche ni même à un moustique fatigant.

Assez vieux pour être mon grand-père, il était néanmoins mon ami. Et pareil au personnage de mon histoire, il m'aidait à surmonter les nids-de-poule de la vie. Chic, non ?

Alors ce livre est en quelque sorte un hommage à cet « homme âgé » qui a été un de mes meilleurs amis. Merci Vladimir !

PROTÉGEONS
NOS FORÊTS

Ce livre a été imprimé sur du papier Sylva enviro 100 %
recyclé, traité sans chlore, accrédité Éco-Logo et fait
à partir d'énergie biogaz.

Achevé d'imprimer
à Cap Saint-Ignace
sur les presses de Marquis Imprimeur
en août 2010